Experiências de quase morte (EQMs)

CIP-BRASIL. CATALOGAÇÃO NA PUBLICAÇÃO
SINDICATO NACIONAL DOS EDITORES DE LIVROS, RJ

A499e

Amâncio, Edson, 1948-
  Experiências de quase morte (EQMs) : ciência, mente e cérebro / Edson Amâncio. - 1. ed. - São Paulo : Summus, 2021.
  208 p.

  Inclui bibliografia
  ISBN 978-65-5549-034-3

  1. Experiências de quase-morte. 2. Consciência. 3. Neurociências. 4. Teoria quântica. I. Título.

21-70322
CDD: 133.9013
CDU: 159.961.9

Camila Donis Hartmann - Bibliotecária - CRB-7/6472

www.summus.com.br

Compre em lugar de fotocopiar.
Cada real que você dá por um livro recompensa seus autores
e os convida a produzir mais sobre o tema;
incentiva seus editores a encomendar, traduzir e publicar
outras obras sobre o assunto;
e paga aos livreiros por estocar e levar até você livros
para a sua informação e o seu entretenimento.
Cada real que você dá pela fotocópia não autorizada de um livro
financia o crime
e ajuda a matar a produção intelectual de seu país.

Experiências de quase morte (EQMs)

CIÊNCIA, MENTE E CÉREBRO

EDSON AMÂNCIO

summus
editorial

EXPERIÊNCIAS DE QUASE MORTE (EQMs)
Ciência, mente e cérebro
Copyright © 2021 by Edson Amâncio
Direitos desta edição reservados por Summus Editorial

Editora executiva: **Soraia Bini Cury**
Assistente editorial: **Michelle Campos**
Capa: **Studio DelRey**
Projeto gráfico e diagramação: **Crayon Editorial**

Summus Editorial
Departamento editorial
Rua Itapicuru, 613 – 7º andar
05006-000 – São Paulo – SP
Fone: (11) 3872-3322
http://www.summus.com.br
e-mail: summus@summus.com.br

Atendimento ao consumidor
Summus Editorial
Fone: (11) 3865-9890

Vendas por atacado
Fone: (11) 3873-8638
e-mail: vendas@summus.com.br

Impresso no Brasil

Sumário

PREFÁCIO 7
Sidarta Ribeiro

APRESENTAÇÃO 11

1 O DESPERTAR DO CÉTICO 17

2 O QUE É A CONSCIÊNCIA? 31

3 O FANTASMA NA MÁQUINA 45

4 O QUE É EXPERIÊNCIA DE QUASE MORTE? 55

5 CIÊNCIA E EQM 77

6 SENTIMENTOS, MENTE, CONSCIÊNCIA E LOCALIZAÇÃO CEREBRAL 95

7 FÍSICA QUÂNTICA, EQM E *O LIVRO TIBETANO DOS MORTOS* 103

8 RELATOS DE EQM 121

9 EQM E A BUSCA DA IMORTALIDADE 167

10 DARWIN NA SESSÃO ESPÍRITA 175

11 A BELEZA SALVARÁ O MUNDO 179

NOTAS 183

REFERÊNCIAS 195

Prefácio

ESTE PRECIOSO LIVRO do neurocirurgião e escritor Edson Amâncio vem preencher de forma abrangente e ponderada uma lacuna fundamental na bibliografia brasileira sobre as experiências de quase morte (EQMs). Trata-se de um fenômeno universal, com abundantes registros em diferentes épocas e lugares do planeta: pessoas à beira da morte experimentam vivências mentais extremamente vívidas que sugerem a passagem para outro plano espiritual.

Ainda que pareçam sonhos, as EQMs frequentemente incluem aspectos que, ao serem relatados posteriormente, são considerados inexplicáveis por médicos e pacientes, dando a sensação de que só seriam possíveis se a mente não habitasse o corpo. Situações-limite entre a vida e a morte são intrinsecamente emocionantes e relevantes, mas a potência numinosa das EQMs leva a experiências excepcionais quase sempre interpretadas por quem as atravessou como uma linha divisória na trajetória de vida – e até mesmo como um sinal divino.

O mistério em torno da alteração de consciência durante as EQMs é magnificado pelo fato de que a ciência apenas recentemente começou a compreender em mais profundidade os mecanismos biológicos que geram a consciência. Os estudos pioneiros conduzidos pelas equipes dos neurocientistas Stanislas Dehaene, na França, e Giulio Tononi, nos Estados Unidos, indicam que a distinção entre percepções conscientes e inconscientes decorre respectivamente do maior ou menor espalhamento cortical da atividade elétrica.

Quando finalmente alcançarmos uma teoria geral de funcionamento do cérebro humano, espera-se que seja possível compreender os processos neurais que produzem a consciência tão bem quanto compreendemos os processos cardíacos que explicam a circulação sanguínea, ou os processos hepáticos que explicam a filtração de toxinas realizada pelo fígado. Se e quando isso ocorrer, é provável que as EQMs venham a ser explicadas por mecanismos tais como o aumento do espalhamento cortical da atividade elétrica, bem como pelo aumento da sincronização neuronal em altas frequências. Fenômenos semelhantes ocorrem durante o sono com sonhos e também pela ação de psicodélicos clássicos.

Não podemos, entretanto, ter certeza de que esse programa de pesquisa se desenvolverá desse modo. Se o mais provável é que o entendimento da consciência exija apenas uma nova biologia, não é impossível que venha a exigir também uma nova física, capaz de dar conta de fenômenos ainda não descritos cientificamente, relacionados à noção de espírito fora do corpo. É por essa razão que o livro tangencia os bardos tibetanos e a física quântica, dois pontos de vista que ao primeiro olhar são completamente díspares, mas têm potencial de convergência, dependendo do que pesquisas futuras venham a encontrar.

Mesmo sendo um médico experiente, tarimbado na busca de explicações racionais para sintomas neurológicos e alinhado ao rigor científico em sua prática clínica, Edson Amâncio mostra abertura de ideias ao se colocar como um observador neutro diante da farta evidência de EQMs revisada neste livro. Essa firme aderência ao ceticismo saudável, verdadeira profissão de fé na possibilidade de aprender sempre mais, é uma das maiores qualidades da obra. Ao não tentar reduzir, tampouco mistificar nossa ignorância sobre as EQMs, Edson Amâncio contribui significativamente para que possamos primeiro reconhecer e, depois, entender os mecanismos subjacentes às experiências de quase morte.

Uma possibilidade instigante a ser explorada empiricamente propõe que a passagem da vida para a morte seja caracterizada por uma grande desaceleração do tempo subjetivo, durante o qual o eu onírico passearia pela vastíssima coleção de memórias armazenadas ao longo da existência, revivendo ou refazendo experiências com as cores daquilo que já foi vivido. Talvez a "vida eterna" seja apenas uma sequência de sonhos no feitio daquilo que se vivenciou no passado. Essa possibilidade tem potencial para explicar a noção, tão prevalente em diversas culturas, de que os virtuosos habitam algum tipo de paraíso após a morte, enquanto os pecadores são enviados ao inferno. Nessa concepção o inferno não seria "os outros", mas simplesmente o "estar em si mesmo".

Outra possibilidade, não mutuamente exclusiva com a exposta acima, sugere que diversos mecanismos fisiológicos postos em marcha durante o processo de morte induzam tal sincronização neuronal que produzem uma experiência de dissolução de representações mentais, levando finalmente a um enorme clarão. Qualquer semelhança com a "clara luz do vazio" do budismo não deve ser mera coincidência.

Evidentemente, há inúmeras outras possibilidades para tentar explicar o grande mistério que cerca as EQMs, inclusive as não materialistas. O livro que você tem em mãos não descarta nenhuma delas, pois seu autor compreende que a curiosidade científica e a tolerância cultural são as melhores atitudes diante de um enigma tão profundo. Que possamos seguir aprendendo!

Sidarta Ribeiro
Neurocientista e escritor

Apresentação

> Mas se a literatura não basta para me assegurar de que não estou apenas perseguindo sonhos, então busco na ciência alimento para as minhas visões [...].
>
> ITALO CALVINO

DEZESSEIS ANOS ATRÁS, eu nada sabia sobre experiência de quase morte (EQM). Sem grande interesse, tinha visto fragmentos de algum relato na internet, breves referências em jornais ou revistas, mas nada que me houvesse chamado verdadeiramente a atenção. Até que, em 2005, ao ler a revista médica inglesa *The Lancet*, deparei com o estudo prospectivo do holandês Pim van Lommel (1943-), publicado em 2001, no qual ele relata 344 casos de EQM minuciosamente documentados em hospitais de seu país[1]. No estudo prospectivo, os pesquisadores têm acesso às causas que estão na origem dos sintomas. Entrevistam os pacientes, verificam os prontuários, informam-se sobre as drogas utilizadas, as dosagens, o tempo de parada cardiorrespiratória, o período de intubação. Já no estudo retrospectivo, os pesquisadores obtêm apenas a informação que lhes foi repassada por quem viveu a experiência. Logo, os estudos prospectivos têm maior fidelidade do que os retrospectivos.

Fiquei pasmo ao constatar que uma revista científica de tal importância, entre as mais renomadas publicações da área médica, pudesse oferecer suas páginas para um tema tão discutível como as EQMs.

À medida que me aprofundava na leitura, porém, eu me dava conta da extraordinária janela que se abriria na pesquisa médica caso o tema fosse visto e pesquisado com verdadeiro interesse científico, como haviam feito Van Lommel e sua equipe. Quantas afirmativas poderiam ser revistas se o assunto escapasse da posição isolacionista a que foi relegado pela ciência oficial e se visse colocado como real motivo de investigação científica! A comprovação das EQMs constituiria talvez uma mudança de paradigma a respeito da consciência – sobretudo de sua localização – e poderia abalar seriamente o velho dogma de que a mente é produto do cérebro e ali reside. Dito isso, vale citar um cientista, o neurologista António Damásio (1944-). Português radicado nos Estados Unidos, Damásio é veemente defensor da teoria de que a mente é produto do cérebro:

> [...] é necessário compreender que a mente emerge num cérebro situado dentro de um corpo-propriamente-dito, com o qual interage; que a mente prevaleceu na evolução porque tem ajudado a manter o corpo-propriamente-dito; e que a mente emerge em tecido biológico – em células nervosas – que partilham das mesmas características que definem outros tecidos vivos no corpo-propriamente-dito.[2]

No entanto, por mais surpreendentes que sejam alguns relatos, é preciso notar que há poucos casos de EQM em indivíduos que tiveram efetivamente comprovação científica de morte cerebral. E o fato de que tais indivíduos "retornaram à vida" indica, obviamente, que não estavam mortos de fato – daí a expressão "quase morte".

Se por um lado é estonteante imaginar que, uma vez despertas, as pessoas relatem fatos ocorridos quando se encontravam inconscientes durante o período de parada cardiorrespiratória (ou sob anestesia geral), por outro lado é mais estupefaciente reconhecer que cada uma delas, ainda com o cérebro mal funcionando, em precariíssimas condições (como de fato ocorre nos poucos minutos após uma parada cardiorrespiratória), desenvolvam uma consciência ampliada, à qual ser humano nenhum é capaz de ter acesso durante o estado normal de funcionamento cerebral. Por mais assustadora que seja a ideia de que a consciência pode existir fora do cérebro – é o que as experiências de quase morte sugerem –, devemos levar em conta que todas as pessoas analisadas foram consideradas mortas e, no entanto, conseguiram descrever o que lhes acontecia no momento da reanimação, como se sua consciência estivesse mesmo fora do próprio corpo.

Houve um grande hiato – 15 anos – entre a publicação de meu livro anterior de divulgação científica, *O homem que fazia chover e outras histórias inventadas pela mente* (2006), e a atual. Nesse interregno, dediquei-me à ficção, quase como um derivativo do tema científico, mas sem ter-me libertado completamente da medicina, pelo menos no título da novela que publiquei e que se chamou *Diário de um médico louco*. Agora retorno após longos estudos sobre EQM, depois de ter ficado verdadeiramente fascinado pelos inúmeros relatos que ouvi daquelas pessoas que estiveram à beira da morte.

Quando comecei a estudar as EQMs, eu não havia lido o livro pioneiro do psicólogo (depois também médico) americano Raymond Moody Jr. (1944-). Em 1975, tendo investigado mais de 100 pessoas que passaram pela experiência de quase morte, Moody publicou *A vida depois da vida*[3], que se tornou *best-seller* nos Estados Unidos e foi traduzido no mundo todo. Depois de ter conhecido o artigo de Pim van Lommel, passei a ler com grande interesse os autores que haviam se debruçado sobre o tema: o próprio Moody, Michael Sabom[4], Kenneth Ring[5], Elisabeth Kübler-Ross[6], Bruce Greyson[7] e Sam Parnia[8], entre outros.

Veio deles o conhecimento que adquiri sobre o tema, mas sou devedor principalmente de Van Lommel, pela amplitude da discussão sobre EQM não apenas no célebre artigo da revista *Lancet*, mas também no detalhado estudo posterior *Eindeloos bewustzijn* [Consciência sem fim], livro que foi publicado em 2007 na Holanda e que li na tradução francesa, *Mort ou pas?* [Morte ou não?][9].

Tanto a leitura do livro de Van Lommel quanto a extraordinária descrição da EQM vivenciada por George Ritchie, descrita pelo próprio em seu livro *Voltar do amanhã*[10], foram fundamentais para que eu enveredasse pelo estudo das EQMs.

Devo ressaltar que não sou especialista no assunto. Embora tenha exercido minha especialidade – neurologia e neurocirurgia – durante mais de 40 anos, não me considero cientista, muito menos especialista em EQM. Mas, durante todo o tempo de exercício de minha profissão, fosse como profissional liberal, fosse como professor universitário, esteve presente em mim a convicção de que o conhecimento científico não deveria ficar restrito aos estreitos muros da universidade e alcançar, sempre que possível, o grande público. Nesse sentido, escrevi vários artigos de divulgação e atualização científica em revistas de maior acesso ao público leigo, entre elas a *Scientific American Brasil* e a *Mente & Cérebro*. Embora reitere não me considerar autoridade no tema de que vamos tratar daqui em diante, devo dizer que não tenho nenhuma bandeira a defender e mergulhei no assunto sem preconceitos, sem nenhuma animosidade na questão.

Este livro começou a ser redigido no verão de 2005. A ideia de escrevê-lo me ocorreu em consequência das entusiásticas reuniões de que participaram o físico Carlos Mendes, o casal de psiquiatras Rachel Giacoia Leal e Fellipe Leal e o psicólogo Mateus Silvestrin. Após a leitura do artigo de Van Lommel publicado na *Lancet*, nós nos propusemos a conhecer os principais estudos sobre EQM publicados em revistas científicas e entrevistar quantas pessoas fosse possível que houvessem passado pela experiência de quase morte. O que resultasse desse trabalho poderia ser publicado em revistas científicas ou apresentado em congressos médicos.

À medida que as leituras se avolumaram, novos artigos e livros foram pesquisados e um número crescente de pessoas que passaram por EQM foi entrevistado para nosso canal do YouTube, decidi que precisava não só me aprofundar nas explicações possíveis para essas experiências, mas também confrontá-las com aquelas propostas por filósofos da mente e por neurocientistas.

Não houve como evitar a leitura – vasta e caudalosa – de cientistas materialistas e de defensores do dualismo, estes em pequeno número. As tentativas de buscar explicações na física quântica constituíram grande desafio. Espero que todo o esforço despendido na realização deste trabalho encontre respaldo nos leitores que se interessam pelo tema.

Dedico o livro a todos aqueles que generosamente concordaram em que suas EQMs, gravadas e disponíveis no canal *Afinal, o que somos nós?*, do YouTube, fossem descritas também aqui.

EDSON AMÂNCIO

1. O despertar do cético

> Não existe nada em que um homem livre pense
> menos que na morte; sua sabedoria é meditar
> não sobre a morte, mas sobre a vida.
>
> ESPINOSA

TERÇA-FEIRA, 25 DE AGOSTO de 1992. Levantei-me antes das 6 da manhã, como de costume. Eu não dormira bem à noite. Antes de pegar no sono, mantive a mente ocupada durante um bom tempo, pensando na situação política do país. As ruas repletas de manifestantes exigindo o *impeachment* do presidente. Milhares de jovens com a cara pintada de verde e amarelo, as cores da bandeira nacional, desfilavam pelas ruas em protesto. O Brasil em pleno turbilhão. Fiz a barba e tomei uma ducha. Em menos de dez minutos, já estava vestido. Na cozinha, tomei uma xícara de café, que eu mesmo havia preparado, e passei manteiga numa torrada, pensando em complementar o desjejum no hospital. Escovei os dentes e fui até a sala. Afastei a cortina a ponto de ver o mar ao longe. Um céu cinzento se refletia nas ondas miúdas e agitadas. "Tempestade à vista", pensei.

Antes de abrir a porta e pegar o elevador, contemplei ainda uma última vez o mar. Continuava cinzento e picado. O céu tinha escurecido ainda mais. Peguei o carro na garagem e segui para o hospital. Enquanto dirigia, repassava em pensamento os acontecimentos da semana anterior. Tinha sido relativamente tranquila. Na terça, eu havia drenado um hematoma subdural, cirurgia relativamente corriqueira. Fiz duas trepanações, uma ao lado da outra, na região parietal direita do paciente; lavei a cavidade com soro fisiológico até a saída do líquido mostrar-se transparente, indicando que todo o sangue acumulado havia sido drenado. Em seguida instalei um dreno, acoplado a uma bolsa coletora estéril, que deveria recolher sangue residual durante pelo menos 24 horas. Na quinta o paciente se encontrava em excelentes condições. O dreno havia parado de eliminar a secreção sanguínea muito rala. Removi-o e, depois de ter infiltrado o couro cabeludo com uma pequena quantidade de anestésico local, dei dois pontos no orifício. O paciente estava falante, sem nenhum déficit motor, e havia recobrado totalmente a sanidade, que antes vinha ligeiramente afetada pela presença do hematoma. Na sexta, eu lhe dei alta.

No sábado, removi um pequeno tumor da fossa posterior de uma jovem. O diagnóstico anatomopatológico revelou tratar-se de um astrocitoma pilocítico. A cirurgia começou às 7h em ponto. Às 15h, cheguei em casa. Troquei as calças por uma bermuda, os sapatos por um par de chinelos, e vesti uma camisa. Fui até a cozinha e abri uma garrafa de vinho, para beber com Mara.

— Foi difícil a cirurgia? — ela indagou.

— Nem difícil, nem fácil — respondi. — Sangrou um pouco mais do que o previsto, mas a paciente saiu acordada do centro cirúrgico e foi para a UTI. Acho que o resultado foi bom.

— Que bom! — ela disse, ao colocar um pouco de vinho em minha taça.

Mara aceitava bem meu trabalho. Questionava a necessidade de realizar cirurgias no sábado, mas o fazia sem grande insistência.

— Você deveria guardar os finais de semana para descansar — dizia.

Eu completava no mesmo tom:

— E ficar um pouco com a família.

Essas lembranças me ocorriam durante o curto trajeto de casa ao hospital na manhã daquela terça, 25 de agosto. Em seguida, meus pensamentos se voltaram para a cirurgia que me esperava no hospital. Lembrei-me de meu primeiro contato com David, havia pouco mais de 15 dias.

— Boa tarde, doutor — ele disse assim que abri a porta do consultório.

— Boa tarde — respondi, e o convidei a sentar na cadeira diante de minha escrivaninha. — Então, David, o que o traz aqui?
— Fui encaminhado pelo meu cardiologista, o dr. W.
— O que aconteceu para que o dr. W. tenha resolvido encaminhá-lo para mim?
— Faz mais ou menos uma semana que amanheci com a boca torta, e ele achou melhor ouvir a opinião de um neurologista.

Eu já havia observado um discreto desvio de sua boca, principalmente quando ele falava. A primeira ideia que me ocorreu, logo na entrada no consultório, foi que se tratava de uma paresia facial periférica. É um transtorno do nervo facial que em geral tem evolução satisfatória, pois regride na maioria dos casos.

Solicitei-lhe que se dirigisse até a maca para o exame clínico. David tinha 54 anos e era funcionário público. Não tinha antecedentes de nenhuma doença. Não era diabético nem hipertenso.

O exame neurológico revelou uma paralisia facial não muito acentuada, que não acometia a parte superior do rosto. Havia apenas o pequeno desvio da boca. O que não era compatível com aquele primeiro diagnóstico que me tinha ocorrido, paralisia facial periférica. Quando esta se instala, o paciente não consegue fechar corretamente a pálpebra e as rugas da região frontal desaparecem. Ao examinar o fundo de olho com o oftalmoscópio, constatei que havia irregularidades: um pequeno inchaço na papila, o ponto onde o nervo óptico sai da órbita e entra no cérebro, sugerindo aumento da pressão dentro do crânio.

Esse sinal pode ser indicativo de hipertensão intracraniana, mas, na maioria das vezes, vem acompanhado de dor de cabeça. Evitando alarmá-lo, perguntei casualmente se não se queixava desse tipo de dor.

— Não, mas nos últimos meses sempre acordo com dor de cabeça. Nada importante, mas às vezes preciso tomar analgésicos.

Rabisquei num receituário um pedido de tomografia de crânio, convencido de que havia algo mais grave. "Pode ser tumor cerebral", pensei. Em seguida nos despedimos.

Uma semana depois, ele retornou com a tomografia. O exame revelou um enorme tumor cerebral aderido aos envoltórios do cérebro, as meninges. Era provavelmente um meningioma do tamanho de um limão, comprimindo o cérebro adjacente e provocando evidente edema cerebral na região frontal direita. Expliquei que se tratava de um tumor cerebral, provavelmente benigno, e que vinha crescendo durante vários anos, sem ter provocado nenhuma queixa. Agora que tinha alcançado tamanho maior, o tumor produziu edema, e isso explicava o desvio da boca, a dor de cabeça e a pequena alteração no fundo de olho. David anuiu sem grande sobressalto; solicitei os exames pré-operatórios e marquei a cirurgia para 15 dias depois.

Às 7h15 daquela terça, David chegou ao centro cirúrgico deitado na maca e sonolento, por causa da medicação pré-anestésica. Mas me reconheceu, pegou forte em minha mão direita e disse:

— Estou nas suas mãos, doutor.

Logo depois, foi anestesiado.

Permaneci ao lado da maca até que se completasse o procedimento. Ajudei a passar aquele corpo anestesiado da maca para a mesa de operações. Dei uma última olhada no *écran*, para ver o tumor na tomografia. Todos os procedimentos prévios haviam sidos realizados. O planejamento cirúrgico tinha sido minuciosamente elaborado e os exames, conferidos: sangue, urina, raio-x do tórax, eletrocardiograma, funções renais e hepáticas, glicemia, coagulação. Duas bolsas de sangue haviam sido reservadas, para a eventualidade de algum sangramento extra, muito comum nas cirurgias de meningioma. O microscópio cirúrgico estava preparado para uso. E havia reserva de vaga na UTI.

Eu mesmo realizei a tricotomia, raspando o couro cabeludo apenas na região em que ocorreria a cirurgia. A seguir, fiz a assepsia do local; os campos estéreis foram colocados sobre o crânio e deu-se início à cirurgia. Fiz ampla incisão sobre o couro cabeludo, para abranger toda a extensão do tumor, reservando inclusive uma margem de segurança, de tal forma que, uma vez removido o osso do crânio, o tumor ficaria completamente exposto e sua remoção poderia ser então gradativamente realizada.

Todo neurocirurgião está habituado a intercorrências durante as operações, pois elas são relativamente frequentes. Não se opera um tumor cerebral com a completa convicção de que tudo sairá a contento, como desejado e previsto. Por isso se faz minucioso planejamento, e todos os materiais a utilizar são solicitados com antecedência. Na maioria das vezes, as intercorrências estão previstas. Um de meus antigos professores de neurocirurgia, quando os familiares dos pacientes lhe perguntavam se "havia algum risco", costumava responder que toda neurocirurgia era uma grande viagem, numa estrada conhecida e bem pavimentada, com ótima sinalização; que o veículo estava preparado, revisto, sem nenhuma falha, e o motorista era experiente e estava descansado; mas que, durante o percurso, não era impossível acontecer algum acidente, de pouca ou maior consequência. Isso certamente era motivo de desalento para quantos ouviam a explicação. No entanto, era bastante realista, a meu ver.

Na época da cirurgia de David, não era ainda consensual e obrigatório o chamado termo de consentimento, no qual o cirurgião diz ao paciente tudo o que pode ocorrer durante a cirurgia. Se o paciente está de acordo, ele assina. Algo como dizer: "Devo alertá-lo de que há alguns riscos nessa cirurgia e de que entre eles incluem-se a possibilidade de morte, um AVC grave, uma hemorragia grave ou infecções sérias". Nada disso foi comunicado ao pobre David. Palavras muito suaves foram as explicações que lhe dei. Fiz alertas, sem dúvida, mas não tão catastróficos.

Após a primeira hora de cirurgia, quando o crânio acabava de ser aberto, entrou na sala o cardiologista, dr. W., médico do paciente. Procurei explicar todo o procedimento, enfatizei o otimismo de que estava imbuído e a cirurgia prosseguiu. O tumor tinha o aspecto de carne de peixe, consistente e bem delimitado. Estava aderido a um verdadeiro lago sanguíneo – o seio venoso, chamado de seio sagital, um ponto de drenagem venosa –, para onde escorria todo o sangue que alimentava o tumor.

A porção superficial do tumor foi coagulada com uma pinça bipolar, e o tumor começou a ser removido lentamente. Depois de algumas horas, grande parte da lesão havia sido extirpada, sempre com certo grau de sangramento. Todo o sangue que saía do tumor era interrompido pela coagulação que fazíamos, utilizando a pinça bipolar o tempo todo. A interposição do microscópio cirúrgico torna a intervenção mais lenta, porém mais cuidadosa e precisa. Quando já chegávamos à parte final da cirurgia, sobrou uma aderência do tumor ao seio sagital, que foi removida com muito cuidado, procurando interpor pequenos hemostáticos para evitar sangramento desnecessário. Ao removermos o último resíduo do tumor, iniciou-se um sangramento rápido e abundante, proveniente do seio rompido. Nesse instante percebi uma movimentação anormal entre os anestesistas. Perguntei o que estava acontecendo. Não obtive resposta. A equipe de anestesistas ficava cada mais agitada, porém continuava silenciosa. Perguntei de novo:

— Afinal, o que está acontecendo?

Ato contínuo, Rogério, o anestesista principal, exclamou num tom de voz que me pareceu meio desesperado:

— Não há mais sangue O Rh negativo no banco do hospital!

— Como assim? — retruquei. — Não há mais sangue?

— Não! – respondeu Rogério. — O paciente sangrou durante mais de seis horas. Repusemos o sangue durante todo o tempo. Como a cirurgia estava no final, não solicitei mais sangue. As duas bolsas solicitadas foram transfundidas. Não há mais nenhuma bolsa disponível de sangue O Rh negativo.

Não costumo me apavorar em situações inusitadas durante operações, mas confesso que, por alguns segundos, fiquei meio atordoado e senti um frio na barriga. Como já disse, a cirurgia estava no final. Todo o tumor tinha sido praticamente removido. Nisso, quando extraí o último fragmento, exatamente aquele aderido ao seio venoso, houve um sangramento não previsto. A pressão arterial do paciente despencou e uma grande quantidade de soro começou a ser injetada na veia, numa tentativa de manter a pressão mais próxima do normal. Apreensivo com a situação, indaguei aos anestesistas:

— Afinal, qual é a solução? Não há sangue compatível com o tipo sanguíneo do paciente? Ele vai entrar em choque, e o que vamos fazer?

— Vamos manter a perfusão com lactato de Ringer e com soro fisiológico até conseguirmos sangue de outro hospital. Já foi providenciada a busca em mais três hospitais.

Nesse momento, faltava apenas fechar o couro cabeludo, quando então a cirurgia estaria encerrada. Peguei o porta-agulhas e comecei a fechar a ferida cirúrgica, de modo semelhante ao que se faz no fechamento de cadáveres: pontos muito rápidos, com enorme distância uns dos outros. No cadáver, procuramos apenas aproximar a pele que foi deslocada para estudos. Não há nenhuma preocupação com estética.

Logo, toda a ferida cirúrgica estava costurada. Fizemos um curativo comprimindo com força, e o sangramento da pele foi estancado.

Pelo monitor, vi que o paciente se encontrava naquilo que chamamos de choque hipovolêmico (grande queda da pressão por falta de sangue) e que o coração, acelerado, estava a mais de 140 batimentos por minuto. Em seguida, retirei o avental e as luvas e solicitei aos auxiliares que agilizassem a transferência de David para a UTI.

Fui até o vestiário, lavei as mãos, passei água no rosto e resolvi telefonar para casa.

Mara atendeu logo no primeiro toque.

— E aí? — ela perguntou. — Acabou a cirurgia? Foi tudo bem?

Demorei alguns segundos para responder. Na verdade, não sabia exatamente o que dizer. Por fim, consegui articular algumas palavras.

— Aconteceu uma tragédia.

— Como assim? Do que você está falando?

— Houve hemorragia no final. O paciente está em choque e não há mais sangue no hospital.

— Como não tem sangue no hospital?! — reagiu, indignada.

— O paciente é O negativo. E as duas bolsas reservadas não foram suficientes. Esse tipo de sangue é o mais difícil de encontrar. Em geral há apenas uma ou duas bolsas de reserva.

— E aí? Você já comunicou à família?

— Ainda não falei nada. Estou reunindo forças para dar a notícia.

— Mas você acha que ele vai sobreviver?

— Não sei. Ninguém suporta muito tempo em choque por falta de sangue. Pode até sobreviver, mas deve ficar com sequelas graves. A única esperança é conseguir uma bolsa de sangue imediatamente.

— Descanse um pouco antes de falar com a família.

Agradeci e desliguei. A água que eu tinha passado no rosto secou completamente enquanto eu falava com Mara; foi substituída por uma fina camada de suor.

Limpei o suor com o dorso da mão direita e fui ao vestiário para me trocar. Em seguida falaria com a família. David saía pela porta dos fundos, ainda intubado, com os anestesistas e auxiliares conduzindo a maca rumo ao elevador que o levaria à UTI.

Troquei de roupa e fui até a porta do centro cirúrgico. A mulher de David me viu e, para minha surpresa, já foi dizendo:

— O senhor não precisa explicar nada. Aqui de fora, acompanhamos toda a correria. Sabemos o que aconteceu; o dr. W. nos manteve informados. Vá descansar. O senhor deve estar exausto.

Ainda tentei articular as explicações que tinha preparado enquanto me trocava. Ela pegou minhas mãos e repetiu:

— Vá descansar. Estamos preparados para o que vier. Temos fé em que ele vai sobreviver.

Até então, eu não havia conseguido pronunciar uma única palavra. Estava estarrecido com a reação da família. Por fim, consegui dizer:

— Vou até a UTI para ver como ele está e volto a falar com vocês. Rapidamente, saí dali, desci as escadas e fui à UTI. Havia uma grande revolução em torno do leito. Tinham pegado novas veias e passado um cateter na jugular, para dar acesso mais rápido a líquidos, e um frasco de sangue havia chegado de outro hospital. Assim que se fez a transfusão, o monitor mostrou que a pressão se estabilizara em seis por quatro e a frequência cardíaca estava reduzida a 130 batimentos. Tudo indicava que David tinha saído do choque, mas não havia indícios de que sobreviveria ou de que ficaria sem sequelas.

Depois de ter discutido a situação com o intensivista e ele ter-me garantido que novos frascos de sangue estavam para chegar, saí da UTI.

Relatei a nova situação à família, sendo o mais realista possível, e me despedi.

Na manhã seguinte, às 10h, entrei na UTI pela porta dos fundos. Qual não foi meu espanto ao ver que o paciente estava sentado no leito, sem intubação e com os olhos abertos. Quando me aproximei, ele me reconheceu, ergueu o braço direito e levantou o polegar como se me dissesse: "Está tudo certo!"

De certa forma, David tinha renascido do pesadelo que foi o término de sua cirurgia. Agora, com a pressão arterial normalizada, surgiram pontos de hemorragia em volta das suturas. Foi preciso levá-lo de novo ao centro cirúrgico e refazer as suturas do couro cabeludo, as quais, vimos, tinham sido feitas às pressas. Refiz tudo com grande alegria. Alguns dias depois, David teve alta hospitalar.

A história poderia ter terminado aí. Uma cirurgia que devia ter sido relativamente simples e acabou complicada, deixando-nos na péssima expectativa de um final infeliz. Mas não. Não só o final foi reconfortante como também David voltou a nos surpreender.

Depois de 15 dias da alta hospitalar, ele, acompanhado da mulher, veio ao consultório para a retirada dos pontos. Conversamos amigavelmente e revivemos algumas cenas que tinham se passado na recuperação dele. Falamos do milagre de ele ter não só sobrevivido, mas também sem sequelas. Enquanto eu retirava os pontos um a um, David continuava conversando animadamente comigo. Em certa altura, ele disse:

— Doutor, quando acabar de retirar os pontos, quero lhe contar uma pequena história.

— OK — respondi. — Faltam apenas quatro.

Terminado o procedimento, ele voltou a se sentar na cadeira e começou sua nova história.

— Doutor, o senhor pode não acreditar no que vou dizer, mas tudo é absolutamente verdadeiro e tenho certeza de que não tive nenhum sonho. Posso contar?

— Claro, David. Fique à vontade.

— Não sei dizer em que momento tudo aconteceu. Só sei que saí do meu corpo e vi os médicos e enfermeiros empurrarem a maca com meu corpo para algum lugar. Achei muito estranho tudo aquilo, mas me sentia tão bem, tinha tanta paz que fiquei apenas observando. Eu estava no teto e via que os médicos e enfermeiros faziam tudo com muita pressa e estavam bastante preocupados. De repente, fui envolvido por uma luz superbrilhante e tive uma sensação de amor que me abraçava e que englobava tudo. Fui levado para um lugar muito bonito – na verdade, fui sugado numa velocidade incrível para chegar a esse lugar. Uma voz clara dizia que aquele era o meu verdadeiro lugar, mas que eu não poderia ficar ali. Que não era a hora. Que tinha apenas sido levado para conhecer aquilo tudo. Não vi ninguém; a voz apenas falava dentro da minha cabeça. Em seguida, fui puxado de volta com a mesma velocidade com que tinha sido levado para esse lugar maravilhoso. A pessoa que falava comigo, e cujo rosto não vi em nenhum momento, estava junto de mim e me conduziu até dentro da UTI. De algum jeito fui empurrado, ou sugado, para dentro do meu corpo. Foi aí que despertei, com uma dor intensa na garganta. A impressão que hoje tenho é que despertei exatamente quando retiraram o tubo da minha garganta.

Em geral, médicos são céticos por natureza ou por formação profissional. Embora tenha achado interessante o relato de meu paciente, com certeza atribuí a história ao efeito dos medicamentos usados, ao próprio fato da baixa oxigenação cerebral durante o choque hipovolêmico, à influência dos anestésicos ou a qualquer outra causa que eu não conseguiria alcançar naquele momento. Parabenizei-o, mas o assunto estava encerrado para mim. Recusei dois ou três convites de David para ir testemunhar seu depoimento ante uma ou outra plateia a quem pretendia contar a história. Com a máxima delicadeza de que fui capaz, eu lhe disse que meu papel tinha sido conduzir a cirurgia da melhor forma possível e empenhar todo o esforço necessário para devolvê-lo à vida sem sequelas. David se mostrou compreensivo e nunca mais me convidou.

Alguns anos depois, recebi no consultório um jovem empresário, de 36 anos, que tinha sido acometido de malária em Angola e transportado para o Brasil em coma. Ficou durante vários dias numa UTI, onde teve diversas crises convulsivas. Felizmente o tratamento foi eficaz: ele sobreviveu sem nenhuma sequela física, exceto novas crises ocasionais. Era essa a razão da consulta. Examinei-o como de praxe e analisei os eletroencefalogramas realizados durante a internação e após a alta hospitalar. Anotei os medicamentos usados e suas dosagens e lhe propus um esquema medicamentoso diferente daquele.

Em determinado momento da conversa, ele me disse:

— Doutor, não sei se o senhor tem alguma religião, mas preciso lhe contar o que aconteceu comigo enquanto estava na UTI. De repente me vi fora do meu corpo. Nitidamente eu estava deitado – dormindo ou ainda em coma, não sei ao certo. Olhei em volta, vi os outros pacientes acamados, alguns acordados, outros dormindo. Havia paciente intubado e respirando por aparelhos. As divisórias eram de cortina, e eu só conseguiria vê-los se estivesse no alto. Estava próximo do teto, achando tudo aquilo muito estranho. Mas não tive medo, pelo contrário. Estava numa paz da qual não tenho lembrança de me ter acontecido alguma outra vez. Sentia um amor por toda a natureza, pelos pacientes ao meu lado, pelo universo inteiro. Não sei quanto tempo fiquei ali, admirado. De repente, senti um impulso forte, que me deslocou dali. Mesmo que eu tivesse querido resistir, não teria conseguido vencer aquela força. Fui atraído para algum lugar. Foi quando vi a presença de uma "alma", um espírito que irradiava uma luz intensa e me recebeu emanando amor infinito. Não sei precisar como era o local, mas não tinha limites. Era muito agradável, e vi uma figura, um médico espiritual muito conhecido, que me apaziguou e disse que eu ficaria bem. Não sei como voltei ao meu corpo. Não me lembro da volta. Apenas acordei com uma sensação de muito bem-estar, de ter vivido uma experiência extraordinária, e contei apenas para minha namorada e minha mãe o que tinha acontecido comigo.

Outro paciente, Rodolfo, tinha 32 anos e era proprietário de um pequeno supermercado. Nunca lhe perguntei a razão pela qual fora vítima de uma tentativa de homicídio. Ele me procurou porque, baleado na cabeça, tinha ficado com uma sequela, uma paralisia facial. Isso mais os projéteis que ainda se encontravam dentro do crânio.

Contou que, no dia do atentado, estava na porta de seu comércio quando viu aproximar-se um carro. O veículo estacionou a cerca de dez metros e o motorista desceu apontando o revólver. Disparou três ou quatro vezes. Quando Rodolfo se deu conta de que tinham vindo assassiná-lo, começou a correr e tropeçou num pedaço de madeira. Bateu o joelho no chão, mas se levantou, voltou a correr, subiu na moto e foi em alta velocidade para casa. Ao chegar lá, percebeu que o joelho estava ferido e resolveu procurar um pronto-atendimento. Dirigiu-se ao hospital, que se encontrava completamente vazio. Andou por um longo corredor até chegar a uma recepção, onde não havia ninguém. Sentou-se num banco, esperando para ser atendido, com a atenção toda voltada para o ferimento que havia no joelho. Depois, reparou numa grande porta fechada, que separava do interior do hospital o corredor onde se encontrava. Notou ainda que não havia teto no hospital; teve a impressão de que o lugar era recoberto com tecidos, à semelhança de uma tenda árabe.

Essa era sua versão dos fatos. Quando a contou à mulher, ela – médica – disse que a história toda não fazia nenhum sentido. O assassino tinha mesmo disparado vários tiros, e Rodolfo tentou realmente correr e tropeçou num pedaço de madeira. Mas caiu ao solo já desacordado. Nesse instante, o assassino se aproximou, apontou o revólver para a cabeça dele e disparou à queima-roupa. Depois, saiu correndo, entrou no carro e desapareceu. Algumas pessoas colocaram Rodolfo numa caminhonete e o levaram ao hospital mais próximo.

No décimo dia de internação, depois de ter sido submetido a várias intervenções cirúrgicas, despertou com um dos médicos chamando-o pelo nome e dando-lhe tapinhas no rosto. Rodolfo abriu os olhos. O médico perguntou seu nome. Ele respondeu corretamente. Perguntaram-lhe se sabia onde estava. Respondeu simplesmente:

— Sei. Estou na clínica.

O médico fez que sim, pensando: "É uma espécie de clínica, de fato, mas é um hospital".

— Você sabe o que veio fazer aqui? — continuou o médico.

— Sei. Vim cuidar do joelho.

Rodolfo era a terceira pessoa de quem eu, entre cético e curioso, ouvia essas experiências, que depois procurei conhecer mais de perto. Experiências de quase morte, ou EQMs, como ficaram conhecidas.

O que eu deveria dizer? O que os médicos dizem em face de uma história como aquela? Eu não tinha nenhuma opinião formada. Não havia motivo para duvidar desses pacientes, todos eles pessoas equilibradas e bem-sucedidas que nunca tinham estado doentes antes de tais episódios. Não eram usuários de drogas nem tinham antecedentes psiquiátricos.

Este livro estava quase pronto quando um amigo me informou ter encontrado referência a um relato de EQM publicado em 1761 pelo francês Pierre-Antoine-Joseph du Monchaux. Ele era médico militar e escreveu um livro, *Anecdotes de médecine* [Casos médicos], no qual cita o caso de um conhecido farmacêutico de Paris que sofria de febre maligna e foi submetido a tratamento médico[1]. Após uma flebotomia (hoje um procedimento para inserir cateter numa veia, mas no século 18 uma incisão para realizar sangria), o farmacêutico sofreu uma síncope e ficou inconsciente por um longo período. Ao despertar, relatou que, depois de ter perdido a consciência, viu uma luz tão pura e tão extrema que pensou estar no Céu. O homem se lembrava muito bem dessa sensação e afirmou que nunca, em toda a sua vida, tinha vivenciado momento melhor.

Na década passada, um conhecido legista e paleopatologista francês, Philippe Charlier, descobriu a segunda edição do livro de Monchaux num sebo e a comprou por um euro. Charlier relatou esse achado de EQM numa carta ao editor da revista científica *Resuscitation*[2].

Na realidade, estudiosos têm analisado possíveis experiências místicas e históricas de EQM em civilizações antigas – Egito, Mesopotâmia, Índia, Antiguidade greco-romana, China pré-budista, Himalaia budista, América pré-colombiana.

2. O que é a consciência?

> [...] nossa mente não é animada por alguma emanação divina ou princípio maravilhoso único. A mente, como a espaçonave Apollo, é projetada para resolver muitos problemas de engenharia, sendo, portanto, equipada com sistemas de alta tecnologia, cada qual arquitetado para superar seus respectivos obstáculos.
>
> STEVEN PINKER[1]

QUANDO TENTAMOS COMPREENDER a relação mente-cérebro e a própria consciência, ocorrem mais perguntas do que respostas. Há, no mínimo, estupefação ao constatá-las em algumas síndromes neurológicas nas quais a consciência parece deslocada ou gravemente perturbada. Na síndrome de Capgras, por exemplo, o paciente não reconhece a própria casa e julga que pessoas próximas, como mulher ou filhos, sejam impostores. Ainda mais desconcertante é a síndrome de Cotard. Nessa rara manifestação clínica, o paciente nega partes do próprio corpo ou, então, mostra-se absolutamente convencido de que está morto. Qualquer que seja a explicação definitiva para essas anomalias, não há dúvida de que a interação mente-cérebro apresenta uma dicotomia clara. Basta apenas um desses exemplos para nos mostrar quão grande é a estranheza com que deparamos ao tentar analisar como a mente funciona.

O problema da consciência tem sido denominado problema mente-cérebro e compreende diversas indagações: qual é a verdadeira natureza dos estados e processos mentais? Em que meio eles acontecem? Como se relacionam com o mundo físico? A consciência sobrevive à morte? É possível um sistema puramente físico construir uma mente, uma inteligência consciente?

Duas correntes tentam dar direção a essas questões – o dualismo e o materialismo. O dualismo afirma que mente e cérebro são coisas distintas, e o materialismo afirma que ambos, mente e corpo, são meios físicos. Em cada um desses pontos de vista, as opiniões diferem. Paul Churchland (1942-), filósofo da Universidade da Califórnia, *campus* de San Diego, explana com clareza essas diferenças[2].

Todas as formas de dualismo têm em comum a afirmativa de que a experiência consciente é não física e está, portanto, além do âmbito das ciências físicas. Quem primeiro colocou essa proposta foi o francês René Descartes (1596-1650), o qual acreditava que a mente e o corpo fossem entidades absolutamente separadas. Descartes, porém, não tinha muita clareza de como elas interagiam.

Outra forma de dualismo é denominada dualismo popular. Ele defende que as pessoas são "fantasmas dentro da máquina" (cérebro) e que há interação entre as propriedades espaciais do fantasma e do cérebro. Tal ideia pressupõe que a matéria é meramente uma manifestação de energia. No corolário disso, os cientistas afirmam: "O problema é que não temos nenhum indício de uma substância pensante imaterial que sobreviva à morte"[3].

Churchland menciona ainda outra forma de dualismo, chamada de epifenomenalismo. Essa visão sugere que o fenômeno mental pode afetar o cérebro e, assim, o comportamento. Com isso, as propriedades mentais não emergem enquanto a matéria física não tenha conseguido organizar-se, por meio da evolução, em sistemas complexos. Igualmente, as propriedades mentais são irredutíveis. Não são apenas características organizacionais da matéria física, mas de novas propriedades do cérebro. Cita-se como exemplo a ideia de algo ser doloroso, ou perfumado, ou colorido. Esses estados mentais emergem dos processos físicos do cérebro e, uma vez disparados, podem voltar a ele e orientar o processamento de informação em nível inferior.

Com os avanços da neurociência cognitiva, a maioria dos filósofos e cientistas não defende as ideias dualistas em nenhuma de suas formas. Eles são materialistas ferrenhos. A ciência provou que partes do cérebro têm papéis específicos em nossa vida mental. A partir da lesão de uma região, o estado emocional da pessoa pode mudar. Afetando outra parte, o paciente perde a capacidade de reconhecer rostos. Embora esses achados não descartem definitivamente o dualismo, eles sugerem que o cérebro dá origem à mente.

Assim como entre os defensores do dualismo não há consenso, entre os materialistas existem divergências.

Numa forma de materialismo que foi defendida há algum tempo e agora abandonada, encontra-se o que ficou conhecido como behaviorismo filosófico. Para ficarmos apenas em um parágrafo: os defensores dessa teoria postulavam que não se pode falar de experiências internas de jeito nenhum. Essa abordagem simplista do problema da natureza da experiência consciente foi relegada ao ostracismo. Afinal, qualquer um de nós tem experiências internas, imaginário mental, pensamentos que não são expressos e assim por diante.

Talvez a teoria mais aceita sobre a questão mente-cérebro e o fenômeno da consciência seja o funcionalismo. Ele é amplamente adotado por psicólogos, por filósofos e pela comunidade da inteligência artificial. Seu maior proponente é o americano Daniel C. Dennett (1942-), importante filósofo da mente[4]. Os funcionalistas acreditam que qualquer ser capaz de sentir dor ou de pensar, ainda que rudimentarmente, só o faz porque tem um órgão funcionalmente equivalente ao cérebro humano. Por outro lado, muitos contestam a abordagem funcionalista porque esta desconsidera a experiência subjetiva, ou os *qualia*, como ela é chamada algumas vezes.

Se os dualistas tendem a não levar em conta os achados biológicos, os materialistas menosprezam a realidade das experiências subjetivas. O fato é que, no atual estágio de nosso conhecimento científico, estamos muito distantes de uma explicação definitiva sobre a consciência e as relações mente-cérebro.

Entre os neurocientistas, há um viés para interpretar as funções mentais associadas a determinada localização cerebral.

Como exemplo, podemos citar os lobos frontais, cujas lesões podem levar a uma mudança radical da personalidade; são bem documentadas as lesões que ocorrem nas áreas frontais anteriores do hemisfério esquerdo, produzindo a chamada afasia; e ainda as perdas visuais ocasionadas por alguma avaria no córtex visual, situado nas regiões occipitais. A investigação pelos neurocientistas se baseia sobretudo no resultado de imagens obtidas com a ressonância magnética funcional (RMf). Apesar dessa avançada tecnologia hoje disponível, nada nos autoriza a explicar as origens da consciência.

Como já dissemos, a maioria dos cientistas adota a abordagem materialista, baseada na hipótese de que pensamentos, sensações e lembranças podem ser explicados por uma atividade cerebral mensurável. Mas, embora seja amplamente defendida, essa hipótese nunca pôde ser demonstrada. Não há nenhuma prova direta que permita determinar que nossos neurônios produzem a essência de nossa consciência, nem como eles a produziriam. A abordagem materialista não é suficiente e não pode mais ser defendida na forma atual. A cada novo conhecimento, a cada nova descoberta sobre o funcionamento do cérebro, ficamos mais convencidos de que a atividade cerebral por si só não consegue explicar a consciência.

As EQMs mostram que é possível estar plenamente consciente – com lembranças, pensamentos lúcidos e emoções – durante a experiência de morte iminente. Numa parada cardíaca, quando ocorre interrupção do aporte sanguíneo para o cérebro, a atividade cerebral é interrompida em alguns segundos. Em tais condições, como é possível o indivíduo estar lúcido, presenciando o que se passa ao redor? O que diz a ciência sobre a consciência e o cérebro? Ou como a consciência pode estar localizada no cérebro? E de que forma a matéria cerebral consegue produzir a consciência? Pois o cérebro em si é matéria, constituído de neurônios que se interconectam, os quais são por sua vez formados de moléculas, que são os tijolos da construção de células onde se desenvolvem os processos químicos e elétricos. Sem dúvida, o cérebro facilita de alguma maneira a consciência, mas conseguiria ele "produzi-la"? Outra pergunta que se impõe: onde, dentro do cérebro, essa consciência seria produzida e estocada?

Uma das questões mais desafiadoras para os cientistas materialistas é de que modo se estabelece a relação entre uma atividade não material – como o pensamento ou a atenção – e uma reação visível – como a atividade elétrica, a magnética e a química. Em algumas partes do cérebro, essas atividades podem ser mensuradas com o eletrencefalograma (EEG), que registra a atividade elétrica no córtex; com o magnetoencefalograma (MEG), que registra a atividade magnética no cérebro; com medidas de diferentes atividades cerebrais mediante a neuroimagem por ressonância magnética funcional (RMf), que registra as variações do fluxo sanguíneo nos tecidos cerebrais, registrando a atividade metabólica das redes neurais; e, finalmente, com o *PET scan* (tomografia por emissão de pósitrons), em que uma substância radioativa é inoculada na circulação e permite registrar o aumento do fluxo sanguíneo numa região do cérebro em até 30% enquanto o paciente pensa ou se concentra, pois os neurônios aumentam a atividade durante esses atos.

Todas essas modalidades de investigação podem nos mostrar quais áreas cerebrais participam de pensamentos, emoções, memórias e recordações. O que não quer dizer que tais sensações sejam aí produzidas e estocadas. Não existe nenhuma prova direta de que os neurônios produzam a essência subjetiva de nossa consciência. Qualquer avaria em sistemas específicos do cérebro – como a formação reticular ascendente; o córtex cerebral e conexões entre o córtex e o tronco cerebral; e, segundo o grande biólogo molecular inglês Francis Crick (1916-2004), o claustro – pode levar à inconsciência e ao coma. Fica óbvio que a colaboração entre esses sistemas tem papel na experiência consciente de vigília cotidiana.

Hoje, os métodos de pesquisa científica são incapazes de estudar com precisão os processos neurais associados à consciência.

Nem mesmo o aparelho de RMf mais moderno consegue revelar informações sobre as bases físicas de uma atividade visual ou de concentração, nem fornecer explicações sobre o que se passa em nossa mente. "Até hoje", escreveu Crick, "não conseguimos localizar nenhuma região onde a atividade neural corresponda exatamente à imagem do mundo que temos diante de nossos olhos."[5]

O dogma da ciência atual afirma – ainda que sem convicção genuína, em minha opinião – que a consciência é produzida e estocada no cérebro. E quase toda pesquisa científica sobre a consciência parte dessa premissa. No entanto, o conhecimento disponível até agora não explica como sentimentos, saudades, lembranças ou toda a subjetividade podem ser produzidos pelas redes neurais, nos complexos intricados de neurônios e seus prolongamentos. Dizem haver relação ou correlação entre as redes neurais e os pensamentos, subjetividade e consciência. A única correlação que se pode estabelecer, porém, é o registro da atividade neural que se obtém pelas várias tecnologias já citadas, durante determinada experiência consciente. O fato de conseguirmos identificar áreas específicas do cérebro ativadas durante um pensamento, cálculo, lembrança ou qualquer outra experiência subjetiva denuncia que, naquela região específica, gera-se uma atividade neural durante tal ato, mas não significa que os sentimentos referidos tenham sido produzidos, nem mostra como o processo se daria.

Alguns autores utilizam o exemplo do rádio e da TV para explicitar essa relação entre mente e cérebro. Você pode sintonizar uma estação qualquer no rádio, mas isso não lhe dá poder algum sobre a programação que ouvirá. Da mesma forma a TV: pode zapear, escolher um canal e assistir, mas não terá nenhuma influência sobre a programação. Parece mais adequado, portanto, imaginar que o cérebro funciona como uma interface para a consciência.

Crick, provavelmente o biólogo mais criativo e mais influente da segunda metade do século 20 (em 1962, dividiu com James Watson e Maurice Wilkins o Nobel de Fisiologia-Medicina pela descoberta do DNA), dedicou quase 30 anos da carreira a procurar a natureza biológica da consciência. Debruçou-se sobre o mistério a partir de 1976, em parceria com o germano-americano Christof Koch (1956-), então jovem especialista em neurociência computacional, até a morte. No entanto, eles conseguiram avançar relativamente muito pouco. O que não chega a surpreender. Na verdade, alguns cientistas e filósofos da mente continuam a considerar a consciência algo tão inescrutável que temem que ela jamais venha a ser explicada em termos físicos. E a pergunta que se impõe é: como pode um sistema biológico, uma máquina biológica, sentir o que quer que seja? E – o que é ainda mais obscuro – como é que esse sistema consegue pensar a respeito de si mesmo?

Tais perguntas são formuladas pelo homem desde a Antiguidade. O grego Hipócrates (c. 460-377 a.C.) foi o primeiro médico a ter abandonado a superstição, baseando suas conclusões em observações clínicas e argumentando que todos os processos mentais emanam do cérebro. Hipócrates ia na direção contrária à do também grego Platão (c. 428-c. 348 a.C.), que rejeitou as observações e os experimentos. Platão acreditava que só somos capazes de pensar sobre nós mesmos e sobre nosso corpo mortal porque estamos dotados de uma alma imaterial e imortal. A ideia da alma imortal foi subsequentemente incorporada ao pensamento cristão e elaborada em mais profundidade, no século 13, por s. Tomás de Aquino (1225-1274). Ele e outros pensadores religiosos que vieram depois sustentavam que a alma – o gerador da consciência – não apenas é distinta do corpo como também tem origem divina.

No século 17, René Descartes desenvolveu a ideia de que os seres humanos têm natureza dual: eles têm um corpo, que é feito de substância material, e uma mente, que deriva da natureza espiritual da alma. Para Descartes, a alma recebe sinais do corpo e com ele interage, mas ela própria é feita de uma substância imaterial, exclusiva dos seres humanos. O pensamento de Descartes deu origem à visão de que ações como comer e caminhar, assim como a percepção sensorial, os apetites, as paixões e até mesmo formas simples de aprendizagem, são mediadas pelo cérebro e podem ser estudadas cientificamente. A mente, entretanto, seria sagrada e, como tal, não seria objeto de estudo adequado para a ciência.

O neurocientista austro-americano Eric Kandel (1929-), Nobel de Fisiologia-Medicina em 2000, considerou extraordinário que essas ideias do século 17 ainda fossem correntes na década de 1980[6]. De certa forma, Kandel ironizava, sem citá-los, o também austríaco Karl Popper (1902-1994), filósofo da ciência, e o australiano John Eccles (1903-1997), neurobiólogo premiado com o Nobel de Fisiologia-Medicina em 1963. Isso porque tanto Popper quando Eccles aderiram ao dualismo a vida toda. Concordavam com Tomás de Aquino na visão de que a alma é imortal e independente do cérebro. O filósofo da ciência britânico Gilbert Ryle (1900-1976) foi ainda mais cáustico que Kandel e se referiu à ideia de alma como "o fantasma na máquina"[7].

Hoje a maioria tanto dos filósofos da mente como dos neurocientistas concorda em que aquilo que denominamos consciência deriva do cérebro. No entanto, alguns autores discordam; o filósofo inglês Colin McGinn (1950-), por exemplo, acredita que a consciência simplesmente não pode ser estudada porque a arquitetura do cérebro impõe limitações às capacidades cognitivas humanas[8]. Já Daniel C. Dennett argumenta que a consciência não é operação distinta do cérebro: ela é o resultado combinado das operações computacionais de áreas superiores do cérebro envolvidas com os estágios finais do processamento da informação.[9]

No outro lado do espectro, os americanos Thomas Nagel (1937-), professor de filosofia da Universidade de Nova York, mais conhecido por seu ensaio "What is it like to be a bat?" [Como é ser um morcego?][10], e John Searle (1932-), filósofo e professor da Universidade da Califórnia, *campus* de Berkeley[11], atribuem duas características ao estado consciente: a *unidade* e a *subjetividade*.

A unidade refere-se ao fato de que nossas experiências chegam até nós como um todo unificado. Todas as modalidades sensoriais diferentes são fundidas numa experiência consciente única e coerente. Assim, ao me aproximar de casa, vejo no jardim um grande vaso amarelo que contém um hibisco com flores intensamente coloridas de amarelo, vermelho-vivo e vermelho-claro. Atrás do vaso há um muro branco, encimado por deslumbrante ramagem roxa de buganvília, onde às vezes se aninha o feroz gato da vizinha. Quando me aproximo do hibisco, posso sentir seu perfume, tocar suas pétalas, perceber a sutileza do tato em cada flor. Minha percepção é inteira não só quando a vivencio, mas também quando, duas semanas depois, me entrego a uma viagem mental no tempo para voltar àquele momento, esteja ou não presente o gato ameaçador.

Para Kandel, a natureza unitária da consciência, ainda que seja um desafio para a ciência, não é de todo insuperável, pois essa unidade pode ser decomposta. Dá como exemplo de tal decomposição da unidade quando nos vemos diante de um paciente cujos hemisférios cerebrais tenham sido separados cirurgicamente. Segundo Kandel, haveria duas mentes, cada uma com sua própria impressão unificada[12]. Todavia, há controvérsias, como veremos mais adiante.

A subjetividade, a segunda característica da percepção unificada, constitui o maior desafio. Estamos no mundo de nossas sensações privadas, que é muito mais real e tangível para nós do que a experiência dos outros. Experimentamos de modo direto nossas sensações, humor, ideias, mas avaliamos apenas indiretamente a experiência de outra pessoa, observando-a, ouvindo-a falar disto ou daquilo. Conforme Kandel, podemos apenas perguntar: "Será que sua reação à cor azul que você vê e ao perfume do jasmim que você sente – o significado que eles têm para você – é idêntica à minha reação ao azul que vejo, ao perfume de jasmim que sinto e ao significado que eles têm para mim?" Ninguém poderia responder positivamente à pergunta com convicção plena.

O que escapa à nossa compreensão é de que modo a atividade elétrica nos neurônios origina o significado que atribuímos a determinada cor ou comprimento de onda sonora.

Searle e Nagel ilustram da seguinte maneira a dificuldade de explicar em termos físicos a natureza subjetiva da consciência: vamos admitir que, estudando uma pessoa que esteja executando uma tarefa que exija atenção constante, sejamos capazes de registrar a atividade elétrica dos neurônios numa região que sabemos ser importante para a consciência. Vamos supor, por exemplo, que tenhamos êxito em identificar as células que disparam quando olho para a imagem vermelha dos botões de um hibisco e tomo consciência dela. Teremos conseguido dar um primeiro passo no estudo da consciência – teremos encontrado para esse percepto aquilo que Crick e Koch denominaram *correlato neural da consciência*. Para a maioria de nós, seria um grande avanço porque representaria a identificação de um concomitante substancial da percepção consciente. A partir daí, poderíamos prosseguir com os experimentos para determinar se esses correlatos também se fundem num todo coerente, isto é, no pano de fundo do muro amarelo com sua ramagem de buganvílias roxas.

Segundo aqueles dois autores, uma vez solucionado o "problema fácil da consciência" – a unidade da consciência –, seremos capazes de manipular esses sistemas neurais para resolver o "problema difícil" – o mistério de como a atividade neural origina a experiência subjetiva. Há divergências quase intransponíveis entre os vários estudiosos do assunto. Para Kandel, o primeiro passo para solucionar o "problema fácil" é perguntar se a unidade da consciência – uma unidade que, como se acredita, é realizada pelos sistemas neurais que fazem a mediação da atenção seletiva – se localiza num único lugar ou em alguns poucos lugares, o que nos tornaria capazes de manipulá-la biologicamente.

A resposta a essa pergunta está longe de ser clara.

O biólogo americano Gerald Edelman (1929-2014) dirigiu o Neurosciences Institute (Nova York) e recebeu o Nobel de Fisiologia-Medicina em 1972 por seus estudos sobre imunologia. Ele argumentou, de maneira convincente, ser quase certo que a maquinaria neural para a unidade da consciência esteja amplamente distribuída por todo o córtex e pelo tálamo[13]. Em consequência, asseverava Edelman, é improvável que sejamos capazes de encontrar a consciência mediante um conjunto simples de correlatos neurais.

Já Crick e Koch acreditaram que a unidade da consciência terá correlatos neurais diretos, porque é muito provável que estes envolvam um conjunto específico de neurônios com assinaturas moleculares ou neuroanatômicas particulares[14]. Para os dois autores, é quase certo que os correlatos neurais requerem apenas um pequeno conjunto de neurônios que atuem como refletor – uma espécie de holofote da atenção. A tarefa inicial, sustentaram Crick e Koch, é localizar no interior do cérebro esse pequeno conjunto de neurônios cuja atividade se correlaciona melhor com a unidade da experiência consciente e, então, determinar os circuitos neurais a que eles pertencem.

O neurologista indo-americano V. S. Ramachandran (1951-) tem uma explicação para as sensações extracorpóreas que ocorrem durante os relatos de EQMs. De acordo com esse notável pesquisador, diretor do Center for Brain and Cognition da Universidade da Califórnia, *campus* de San Diego, há uma espécie de dicotomia entre as ações do hemisfério cerebral direito e as do esquerdo[15]. O hemisfério direito adota uma visão geral e imparcial de nós mesmos e de nossa situação. Segundo Ramachandran, essa função se estende para que possamos nos ver do ponto de vista de um estranho. Se você está treinando ou ensaiando para uma conferência, por exemplo, consegue imaginar-se do ponto de vista da plateia enquanto observa a si mesmo andar de um lado para outro do palco.

Ramachandran reconhece que tal ideia também pode explicar experiências extracorpóreas. Para isso, ele invoca perturbações nos circuitos inibitórios que comumente mantêm a atividade dos neurônios-espelho sob controle. Ramachandran ilustra essa possibilidade com os estranhíssimos casos de anosognosia, a incapacidade que alguns pacientes com lesão no hemisfério direito têm de reconhecer a paralisia do lado esquerdo do corpo. Lesões às regiões frontoparietais direitas, ou anestesia com a droga cetamina, removem essa inibição. Em consequência, você começa a sair do corpo, até mesmo a ponto de não sentir a própria dor. Vê sua dor "objetivamente", como se outra pessoa a estivesse experimentando. Por vezes tem a impressão de que realmente saiu do corpo e está pairando sobre ele, observando-se de fora. Ramachandran acentua que, se aqueles circuitos "incorporadores" forem especialmente vulneráveis à falta de oxigênio no cérebro, isso poderá também explicar por que tais sensações extracorpóreas são comuns em experiências de quase morte.

Para exemplificar sua ideia, Ramachandran relata o caso do paciente identificado apenas como Patrick, engenheiro de *software* de Utah que diagnosticaram com tumor cerebral maligno na região frontoparietal, do lado direito do cérebro. Patrick foi informado de que, mesmo se retirado o tumor, restavam-lhe menos de dois anos de vida. Estranhamente, ele tendia a minimizar o problema. O que mais o incomodava e intrigava era o fato de que percebia ter um gêmeo-fantasma vividamente sentido, preso ao lado esquerdo do corpo. Isso é bem diferente do tipo mais comum de experiência extracorpórea, em que o paciente sente que está olhando de cima para o próprio corpo. O gêmeo de Patrick imitava – em sincronia quase perfeita – cada ação sua.

Para testar um experimento realizado anteriormente pelo próprio Ramachandran, o pesquisador irrigou o canal auditivo de Patrick com água gelada. Sabe-se que esse procedimento ativa o sistema vestibular, podendo dar certo solavanco na imagem corporal; é capaz, por exemplo, de restaurar transitoriamente a consciência da paralisia do corpo num paciente com anosognosia decorrente de acidente vascular cerebral parietal. Quando Ramachandran fez isso, Patrick ficou pasmo ao perceber que o gêmeo encolhia em tamanho, movia-se e mudava de postura. Grandes mistérios nos reserva o cérebro!

3. O fantasma na máquina

MEU PROFESSOR DE BIOQUÍMICA, no segundo ano da faculdade de medicina, era um senhor de idade avançada. Sentíamos carinho especial por ele. No entanto, pelas turmas que nos antecederam, já chegávamos sabendo que tinha uma mania irrefreável. Enquanto proferia suas aulas, o professor andava pela sala com passadas largas, erguendo exageradamente os pés, falando e enxugando o canto dos lábios com as mãos. Até aí, parecia mais um trejeito que não mereceria maior atenção. Mas o conjunto destoava. Magro e alto como um poste, as passadas ao estilo militar que se acompanhavam de bater de palmas na frente do corpo, a calvície proeminente e o resto do couro cabeludo preenchido por uma cabeleira alva que se iniciava no meio do crânio liso e terminava em madeixas sobre os ombros – tudo isso fazia dele uma figura singular.

O toque final era o fato de chutar qualquer bolinha de papel que encontrasse pela frente durante a aula. E, enquanto o professor marchava em direção à porta, algum aluno mais ousado jogava uma dessas bolinhas no trajeto que ele deveria fazer na volta, de modo que o homem, ao se virar e ver a bolinha, dava-lhe um tremendo pontapé, atirando-a para o outro lado da sala. Não perdia um segundo sequer para perguntar sobre o montículo de papel que, segundos antes, não se encontrava ali. E a brincadeira se repetia. Quando se virava, nova bolinha de papel. Novo pontapé. Nem mesmo interrompia a frase. Era como se a brincadeira tivesse sido combinada antes. Seu semblante não denunciava nenhuma surpresa, tal o entusiasmo que parecia ter com suas aulas, quase sempre idênticas, repetidas anos a fio com as mesmas características e o mesmo cacoete de chutar bolinhas de papel. Era uma bênção que não fosse minimamente exigente com os temas que lecionava. Suas avaliações eram generosas, e aquelas aulas, alguns dos nossos raros momentos de descontração.

Essa lembrança me veio ao ler a tradução brasileira de um ensaio de Stephen Jay Gould, "Arbustos e escadas na evolução humana". Ocorreu-me uma espécie de epifania durante a leitura desse ensaio: "Meu primeiro professor de paleontologia era quase tão velho quanto os animais de que falava. Costumava dar aula lendo em folhas de papel almaço notas amarelecidas, provavelmente feitas em seus dias de estudante"[1].

A cena das bolinhas de papel, como a do velho professor de Gould, é uma lembrança individual. No meu caso, poderia ser partilhada com outros 59 colegas de classe que, há quase 45 anos, assistiam à cena todas as semanas letivas, durante um semestre! Inúmeros exemplos de lembranças individuais ou coletivas poderiam ser perfilados aqui. Provavelmente, durante as próximas cinco décadas, jovens que tinham 15 ou 20 anos em 11 de setembro de 2001 e viram as imagens dos dois aviões que se chocaram contra as torres gêmeas se lembrarão com nitidez daquele triste episódio, que marcou a entrada do século 21. A descontração que sentíamos na aula de bioquímica e a estupefação ao ver os aviões atingirem as torres jamais nos sairão da lembrança, nem o sentimento de pesar ao recebermos a notícia da morte súbita e trágica de uma pessoa querida.

Quando analisamos essas impressões, lembranças e sentimentos à luz dos conhecimentos científicos atuais, tendemos a interpretá-los como sensações e memórias gravadas em nosso cérebro tal e qual num disco rígido de computador. Em outras palavras: nossa mente recebeu essas informações, desenvolveu sentimentos a elas correspondentes e os arquivou em alguma parte do cérebro. É possível que o cérebro tenha funcionado como interface para que tais lembranças viessem à tona? Ou elas estão mesmo estocadas lá? O fato é que, quando áreas cerebrais específicas sofrem lesão, as memórias ficam comprometidas.

Um dos casos clínicos mais emblemáticos, de grande utilidade no conhecimento do armazenamento da memória, foi o do paciente americano Henry Gustav Molaison, que ficou conhecido na literatura médica como HM. Em 1957, William Scoville, neurocirurgião no Hartford Hospital (Connecticut), e Brenda Milner, psicóloga da Universidade McGill (Montreal), relataram a incrível história de HM[2]. Nascido em 1926, sofreu aos 7 anos um acidente de bicicleta que provocou traumatismo de crânio, levando depois ao desenvolvimento de epilepsia. As crises eram de difícil controle e pioraram com o passar das décadas, a ponto de ter dez crises de ausência e uma crise convulsiva por semana. A evolução foi tão desastrosa que, aos 27 anos, HM estava gravemente incapacitado. A conclusão dos investigadores foi que suas crises tinham origem no lobo temporal. Como último recurso de tratamento, Scoville decidiu remover a superfície interna daquela região em ambos os lados do encéfalo, aí incluído o hipocampo. O tratamento foi bem-sucedido em relação às crises epilépticas, mas HM passou a apresentar um déficit de memória simplesmente devastador, do qual nunca se recuperou. Desde a cirurgia, em 1953, até a morte, em 2008, HM ficou incapaz de converter uma memória nova de curta duração em memória permanente, de longa duração.

Brenda Milner descobriu essa deficiência de memória e a descreveu com Scoville naquele artigo de 1957, que se tornou a publicação mais citada no campo das neurociências e do comportamento. Milner acompanhou o caso ao longo de mais de 40 anos. Desde o começo, o aspecto mais dramático do déficit de HM era que ele parecia esquecer-se de fatos tão logo aconteciam. Toda vez que a psicóloga entrava no quarto para cumprimentá-lo, ele não conseguia reconhecê-la. Durante os 45 anos que viveu depois da operação, HM, meia hora após uma refeição, não lembrava mais o que havia comido – e nem mesmo que havia comido. Com o passar do tempo, não conseguia sequer se reconhecer numa fotografia.

No entanto, não perdeu a memória imediata. Era capaz de manter uma conversa, desde que ela não se estendesse muito, nem focalizasse vários assuntos. Passado algum tempo, ele não se lembraria de absolutamente nada do que havia conversado. Brenda Milner descobriu que HM conseguia aprender e, de alguma forma, armazenar novas memórias, *embora não tivesse conhecimento disso*. Para chegar a essa conclusão, ela realizou um experimento muito simples. HM ficava sentado a uma mesa com uma folha de desenho onde estava reproduzida uma estrela de cinco pontas. Ele tinha então de contornar a lápis essa figura. A dificuldade estava em que um anteparo opaco era colocado entre HM e a folha. A única maneira pela qual conseguia ver a estrela e a própria mão ao desenhar era por um espelho à frente do anteparo e da folha. Durante vários dias, HM realizou essa tarefa e Milner aferiu o tempo gasto e a qualidade do contorno da estrela. HM se aprimorava na execução da tarefa a cada dia, mas *não se lembrava de tê-la executado anteriormente*.

Milner concluiu, primeiro, que a capacidade de adquirir novas memórias é uma função cerebral distinta, estando localizada na porção medial dos lobos temporais e sendo separável de outras capacidades cognitivas ou de percepção. Concluiu ainda que os lobos temporais mediais não são necessários para a memória imediata: HM, vimos, apresentava memória imediata perfeitamente normal. Conseguia, por exemplo, reter um número ou uma imagem visual durante um período curto após tê-los aprendido.

Outra interpretação a que chegou Milner foi que o lobo temporal medial e o hipocampo não são os sítios de armazenamento final para a memória de longa duração do conhecimento previamente adquirido: HM lembrava-se de muitos acontecimentos da infância. Por fim, a pesquisadora fez a notável descoberta de que parece haver um tipo de memória que não depende do lobo temporal medial: como já vimos, a realização da tarefa repetidas vezes se aprimorava com o tempo, embora HM não se lembrasse de tê-la executado antes.

A experiência de HM constitui um bom indício de que nossa consciência pode estar armazenada no cérebro. Entretanto, isso não invalida a possibilidade de o cérebro apenas formar a interface para a consciência. Se a área a ativar é o lobo temporal, a função fica impossibilitada de se manifestar quando ele é desativado. Assim, há de se pensar numa consciência fora do cérebro, e tal raciocínio não deixa de ser argumento a favor de alguma espécie de dualismo.

Um dos críticos mais mordazes do dualismo cartesiano foi o filósofo inglês Gilbert Ryle, que, vimos no capítulo anterior, cunhou a expressão "o dogma do fantasma na máquina":

> A doutrina oficial, que procede sobretudo de Descartes, é mais ou menos como descrita a seguir. Com a duvidosa exceção dos idiotas e das crianças de colo, todo ser humano tem um corpo e uma mente. [...] Seu corpo e sua mente normalmente estão atrelados um ao outro, mas depois da morte do corpo a mente pode continuar a existir e funcionar.[3]

O grande romancista e ensaísta Arthur Koestler (1905-1983), húngaro radicado na Inglaterra, publicou um livro de não ficção que leva por título justamente a frase de Ryle, *O fantasma da máquina*. Nele, Koestler reagiu com indignação: "Pelo próprio ato de negar a existência do fantasma da máquina – da mente que depende do corpo, mas que é também responsável pelas ações deste –, incorremos no risco de transformá-lo num fantasma muito grosseiro e malevolente"[4].

John Eccles é também impiedoso com a afirmativa de Ryle:

> Para concluir esta parte, coroaria o ridículo título de Ryle, "O fantasma na máquina", com o irônico comentário de que ele pode ter expressado,

sem o saber, uma valiosa intuição. A analogia em termos de investigação que podemos criar para o dualismo mente-cérebro é que o fantasma tradicional é a mente não material, que atua como o programador da máquina cerebral, que é análoga quer do *hardware*, quer do *software* de um computador![5]

A polêmica se arrasta ainda hoje. Há um fantasma na máquina? Ou o "fantasma" é pura e simples criação química do cérebro?

Argumentar contra a ideia de que a consciência – a mente – pode não ser produto do cérebro é quase o mesmo que acompanhar Sísifo empurrando a pedra morro acima, vendo-a despencar do alto e voltando a empurrá-la *ad infinitum*. Para Francis Crick, "a surpreendente hipótese é que você, suas alegrias e tristezas, suas memórias e suas ambições, seu senso de identidade pessoal e livre-arbítrio são, na verdade, não mais do que o comportamento de um vasto conjunto de células nervosas e suas moléculas associadas"[6].

Entre a miríade de argumentos contra o fantasma na máquina, impõem-se estas perguntas: quando o fantasma entra na máquina e como faz a interface com ela? Não temos a mínima intenção de responder a elas, mas, se Ryle e a maioria dos cientistas que se opõem ao fantasma o classificam como dogma, podemos dizer o mesmo sobre a teoria de que o cérebro – e apenas ele – produz a mente, a consciência. Como já dissemos, essa hipótese jamais se comprovou.

O americano-canadense Wilder Penfield (1891-1978), neurocirurgião da Universidade McGill, desenvolveu técnicas de estimulação cerebral de pacientes cirúrgicos que continuavam despertos enquanto o cérebro era exposto. Essas operações são realizadas ainda hoje, sobretudo para remover áreas avariadas, tumores ou regiões responsáveis por crises epilépticas intratáveis. São indolores e orientam o cirurgião a evitar áreas nobres, cujas funções poderiam ser danificadas sem o devido reconhecimento delas. Para Penfield, quando o neurocirurgião aplica um eletrodo à área motora do córtex cerebral do paciente, fazendo a mão oposta mover-se, e pergunta ao paciente por que movimentou ele a mão, a resposta é: [...] "Eu não o fiz. Foi o senhor que me fez fazê-lo". [...] Pode-se dizer que o paciente pensa em si próprio como tendo uma existência separada de seu corpo. Certa vez, quando adverti um tal paciente de minha intenção de estimular as áreas motoras do córtex e o desafiei a impedir que sua mão se movesse ao ser aplicado o eletrodo, ele a agarrou com a outra mão e lutou para mantê-la imóvel. Assim, uma mão, sob o controle do hemisfério direito impulsionado por um eletrodo, e a outra mão, que ele controlava através do hemisfério esquerdo, foram levadas a lutar uma contra a outra. Por trás da "ação cerebral" de um hemisfério, achava-se a mente do paciente. Por trás da ação do outro hemisfério, estava o eletrodo.[7]

Eu mesmo, mais de uma vez, tive a oportunidade de comprovar a experiência de Penfield, sem, no entanto, a necessidade de abrir o crânio do paciente. Para tanto, utilizei um aparelho de estimulação magnética transcraniana (EMTC). Hoje de uso corrente em muitas clínicas por todo o mundo, é um dispositivo que gera campo magnético quando ligado. Graças a uma bobina colocada sobre o couro cabeludo, consegue-se estimular o córtex. Uma vez atravessado o osso do crânio, o campo magnético se transforma em corrente elétrica, estimulando qualquer área cortical que se queira. Se estimulamos a região do córtex responsável pelos movimentos da mão (área motora), por exemplo, notamos que a mão do paciente apresenta um movimento brusco que pode durar o tempo todo da estimulação. Quando solicito ao paciente que tente conter a mão com o pensamento, ele se esforça para manter a mão imóvel, mas não consegue – os abalos aparecem e se mantêm enquanto durar a estimulação. Em seguida, solicito que segure com a outra mão a mão estimulada. Acontece de ele pegar firmemente a mão livre e agarrar a outra, que será estimulada. Por maior que seja a força empregada com a mão livre, ele não consegue conter o movimento involuntário da mão estimulada, a qual responde ao estímulo cortical que aplico com a bobina do aparelho de estimulação magnética transcraniana.

Esse tipo de experimento demonstra que, quando utilizamos a mente para movimentar um segmento do corpo, podemos fazê-lo de qualquer forma que desejemos. Podemos levantar simplesmente a mão, acenar, fazer um gesto de afago, um sinal de concordância com o polegar ou de negação com o indicador. É óbvio que só realizamos o movimento pretendido porque o fizemos sob o comando da mente. Mas, quando estimulamos a área motora com o aparelho, o movimento é estereotipado: não é um gesto, não houve intenção, o resultado é apenas um abalo muscular, pois não ocorreu a participação da vontade, ou seja, da mente.

O axioma segundo o qual a mente e, portanto, a consciência são produto do cérebro não é verdade incontestável, como já dissemos várias vezes. Em que local a mente se aloja no corpo humano? Nenhum avanço tecnológico atual soluciona o enigma. Se não há comprovação de que a mente é simples produto do cérebro, existiriam indícios do contrário? A mente pode existir sem que o cérebro esteja funcionando? Caso baseemos nossa resposta nas experiências de quase morte, a resposta será um enfático SIM: há indícios de que a mente consegue existir ainda que o cérebro esteja clinicamente morto ou inativado nas funções detectáveis pelos meios científicos hoje disponíveis.

Como já tivemos ocasião de mencionar, Eccles, ganhador do Nobel por suas descobertas sobre a comunicação entre os neurônios, foi um dos raros cientistas de reconhecimento internacional que também era dualista cartesiano convicto. Ele escreveu:

> A autoconsciência é, pois, uma das características fundamentais, provavelmente a mais fundamental, da espécie humana. Essa característica é uma novidade evolutiva; a espécie biológica da qual a espécie humana descendeu tinha apenas rudimentos de autoconsciência, ou talvez nem sequer os tivesse. A autoconsciência trouxe consigo, porém, companhia mais sombria

– medo, ansiedade e consciência da morte [...]. O homem está oprimido pela consciência da morte. Um ser que sabe que morrerá surgiu de antecessores que não o sabiam.[8]

Embora cientista do mais elevado nível, reconhecido por toda a comunidade científica pelas descobertas sobre a transmissão da informação nas sinapses, Eccles morreu sem ter dado uma prova cabal e científica de suas convicções.

4. O que é experiência de quase morte?

> Somente os seres humanos orientam seu comportamento pelo conhecimento do que aconteceu antes de seu nascimento e pela preconcepção do que poderá suceder após sua morte. Assim, apenas eles encontram seu caminho guiados por uma luz que ilumina além do chão onde pisam.
>
> PETER B. MEDAWAR E JEAN S. MEDAWAR

UMA DAS MAIS ABRANGENTES definições de experiência de quase morte afirma que elas são experiências vívidas, realísticas, e muitas vezes promovem profundas mudanças de vida; além disso, ocorrem com pessoas que estão fisiológica ou psicologicamente próximas da morte.[1] Tais experiências podem ser provocadas por paradas cardíacas e por comas causados por dano cerebral, asfixia ou hemorragia, que acontecem durante o parto, acidentes de trânsito e até cirurgias nas quais o paciente se encontra sob anestesia geral.

Entre as principais características descritas nos relatos de EQM, encontram-se a atividade mental mais aguçada, a memória clara da experiência e a convicção de que ela seja mais real que as experiências vividas durante o estado de vigília. Nos relatos, incluem-se estes episódios ou, pelo menos, alguns deles: a experiência fora do corpo (EFC), ou seja, a percepção de sair do corpo e observar fatos que transcorram próximos a ele e, às vezes, em algum local distante; os sentimentos de paz e alegria; a passagem por uma região de escuridão ou por um túnel escuro (em alguns casos, um túnel de luz); ver um plano transcendente de grande beleza; encontrar familiares e amigos falecidos; ver uma luz extraordinariamente brilhante, às vezes percebida como um "ser de luz" que irradia aceitação total e amor incondicional e consegue comunicar-se telepaticamente com aquele que vivencia a EQM; ver e reviver acontecimentos importantes e incidentais de sua vida, por vezes do ponto de vista das outras pessoas envolvidas; perceber uma fronteira além da qual não se pode ir; ver como se fosse num filme as cenas da vida inteira, até o momento da quase morte; e o retorno ao corpo físico (muitas vezes de modo involuntário).

Naquele seu livro pioneiro, Raymond Moody descreve um padrão, não necessariamente igual para todos os casos, do que seria uma experiência de quase morte[2]:

Um homem está morrendo e, conforme chega ao grande desgaste físico, ouve o médico anunciar o óbito. O homem começa a ouvir um barulho irritante de chiados agudos e, ao mesmo tempo, sente que está se movendo rapidamente por um túnel longo e escuro. Depois disso, de repente, encontra-se fora do corpo, mas ainda no ambiente físico imediato, e vê o próprio corpo a certa distância, como se fosse um espectador. Desse ponto de vista incomum, observa a tentativa de ressuscitá-lo e encontra-se num estado de revolta emocional.

Após certo tempo, acalma-se e fica mais acostumado com essa condição ímpar. Percebe que ainda tem um "corpo", mas que ele é de uma natureza muito diversa e com poderes bem diferentes do corpo físico que deixou. Logo mais coisas começam a acontecer. Outras pessoas vêm a seu encontro para ajudá-lo. Vislumbra os espíritos de familiares e amigos que já morreram, e um espírito doce e caloroso de um tipo que nunca encontrou antes – um ser de luz – aparece à sua frente. Esse ser faz uma pergunta para levá-lo a avaliar a própria vida e o ajuda no processo, mostrando uma retrospectiva panorâmica e instantânea dos principais fatos de sua existência.

Em determinado momento, o homem se vê aproximando-se de algum tipo de barreira ou fronteira, aparentemente representando o limite entre a vida terrena e a próxima. Ainda assim, sente que deve voltar para a Terra, que o momento de sua morte ainda não chegou. Nesse ponto, resiste, pois agora foi envolvido pelas experiências na vida depois da morte e não quer retornar. Está repleto de sentimentos intensos de alegria, amor e paz. Apesar disso, religa-se de algum modo ao corpo físico e volta a viver.

Mais tarde, quando tenta contar aos outros o que se passou, sente dificuldade. Em primeiro lugar, não encontra palavras humanas adequadas para descrever esses episódios sobrenaturais. Também percebe que zombam da história e, então, para de contá-la. Mesmo assim, a experiência o afeta profundamente, em especial na visão acerca da morte e no relacionamento com a vida.

Tal modelo não corresponde na totalidade a nenhum dos relatos registrados por Moody. Trata-se de apenas um modelo; nenhum dos pacientes ouvidos descreveu todas essas etapas na mesma sequência. Mas, na análise do conjunto da amostragem, pode-se inferir que aquela descrição corresponde a uma experiência de quase morte profunda.

De fato, a semelhança entre os vários relatos é tão grande que, segundo Moody, é possível anotar 12 elementos comuns à maioria dos relatos.

1. Inefabilidade, a incapacidade de expressar um sentimento por meio de palavras. Tanto Moody como a maioria dos outros pesquisadores de EQM ouviram a seguinte frase: "É impossível explicar com palavras o que vi ou vivi".
2. Sensação de paz, de calma. Toda a dor desaparece.
3. A consciência de estar morto, às vezes seguida de um ruído.
4. A saída do próprio corpo: de um local situado no exterior ou acima do corpo, o paciente assiste à reanimação ou operação.
5. Um espaço escuro. As pessoas têm a impressão de ter sido lançadas bruscamente num espaço escuro, descrito por elas como um local fechado, um vazio ou um poço (registre-se que apenas 15% dos pacientes estudados por Pim van Lommel viveram essa sensação).

a) Passagem através de um túnel. O paciente é rapidamente impulsionado, atraído para uma luz.
b) EQM aterrorizante. Pouquíssimos (apenas 1% a 2% daqueles que caem nesse espaço escuro na casuística de Van Lommel) permanecem nessa escuridão e vivem sua EQM de forma assustadora. Alguns relatam, para seu grande horror, que se sentem mergulhados mais profundamente nessa obscuridade. A EQM termina num ambiente terrificante, até a volta ao corpo.
6. Percepção de um ambiente irreal – paisagem surpreendente, cores vivíssimas, flores magníficas e, algumas vezes, música.
7. Reencontro e comunicação com pessoas que já morreram – na maioria das vezes, são seus familiares.
8. Percepção de uma luz brilhante ou de um ser de luz. O paciente sente total aceitação e amor incondicional e tem acesso a um conhecimento e uma sabedoria profundos.
9. Visão panorâmica do passado. A pessoa revê sua vida desde o nascimento. Revive tudo e vê a existência desfilar diante dos olhos a uma velocidade incrível. O tempo e a distância parecem ter sido abolidos: tudo acontece ao mesmo tempo, muito depressa.
10. Intuições e imagens do futuro: o paciente tem a impressão de ser testemunha de uma parte de sua vida que ainda não aconteceu. Mas lá, como já dissemos, não há tempo nem distância.
11. Percepção de uma fronteira. A pessoa se dá conta de que, se ultrapassar essa fronteira ou limite, não poderá mais voltar ao corpo.
12. A volta ao corpo. Em geral é acompanhada de grande decepção por ter sido retirado de algo tão belo e reconfortante.

Embora ocorra enorme discussão entre os estudiosos das EQMs, ainda não se chegou à explicação definitiva de por que elas ocorrem. Há polêmicas entre os que defendem uma posição exclusivamente científica e os que advogam explicações não materialistas.

Dean Mobbs e Caroline Watt, pesquisadores da Universidade de Edimburgo, relacionam vários transtornos do funcionamento cerebral como indicativos de que poderiam ter essa origem os fenômenos relatados por pessoas que tiveram EQM.[3] Fazem referência a um dos principais componentes das experiências de quase morte: a consciência de estar morto. Alegam que o fenômeno não ocorre apenas durante EQMs e citam circunstâncias psiquiátricas como a síndrome de Cotard, na qual, já mencionamos no capítulo anterior, o paciente tem convicção de estar morto[4].

Numa tentativa de desconstruir toda e qualquer explicação mística, paranormal ou teológica das EQMs, Mobbs e Watt abordam ainda a questão da experiência fora do corpo. A EFC, a sensação de sair do corpo, de flutuar acima dele, de ver o próprio corpo (autoscopia, sobre a qual discorreremos no Capítulo 8), é relato constante nas EQMs. Mobbs e Watt traçam paralelo tanto com as experiências realizadas por Wilder Penfield, o pioneiro neurocirurgião que mencionamos no capítulo anterior – que, estimulando áreas corticais em pacientes sob anestesia local, provocou sensações parecidas[5] –, quanto, mais recentemente, com o resultado da estimulação da junção do córtex temporoparietal por Olaf Blanke, o que provocou sensação de EFC numa paciente[6].

Céticos têm usado os relatos de Penfield como indicação de que situações semelhantes a EQMs podem ser produzidas mediante a estimulação de áreas específicas do cérebro. Em extensa revisão das publicações de Penfield, a pesquisadora Emily Williams Kelly, da Universidade da Virgínia, e seus colegas Bruce Greyson e Edward F. Kelly chegaram à seguinte conclusão: na verdade, a maioria das experiências que Penfield relatou tinha bem pouca semelhança com as EQMs verdadeiras. Consistiam em ouvir trechos de música ou canto; ver cenas isoladas e repetitivas que pareciam familiares e podem ter sido lembranças fragmentadas; ouvir vozes; sentir medo ou outras emoções negativas; ou ver imagens esquisitas que, com frequência, foram descritas como semelhantes a sonhos.[7]

Analisando a questão do túnel de luz, Mobbs e Watt evocam os pilotos de avião de combate que podem experimentar sensação parecida quando submetidos a testes de força G numa centrífuga, na qual todo o sangue se acumula nas pernas, o cérebro fica momentaneamente privado de oxigênio e os pilotos perdem às vezes a consciência. Alguns têm convulsões semelhantes a crises epilépticas e certa dificuldade de se expressar quando recobram a consciência. Uns têm sensações parecidas com as descritas nas EQMs, enquanto outros relatam a sensação de ter passado por um túnel de luz, flutuado no espaço e visto imagens fragmentárias do passado. Nenhum desses pilotos, entretanto, referiu reencontro com familiares mortos, nem vivenciou um filme da própria vida. Segundo Mobbs e Watt, a isquemia cerebral poderia provocar alterações na retina, originando a sensação de túnel de luz.[8]

Na interpretação desses dois autores, o reencontro com familiares mortos encontra ressonância no fato de que a ficção e o cinema nos acostumaram a assistir à recepção e à boa acolhida por entes queridos tão logo penetremos no reino da morte. Para Mobbs e Watt, podemos perfeitamente recriar situações imaginárias, arquivadas em nossa mente, durante uma EQM. Além disso, argumentam, pacientes com danos cerebrais como na doença de Alzheimer e na doença de Parkinson progressivas padecem de alucinações, por vezes muito vivas. Mobbs e Watt fazem referência ao já citado trabalho de Olaf Blanke, que, com estimulação elétrica do giro angular, obteve a sensação de uma presença.

Greyson, entretanto, insiste no fato de que modelos neurofisiológicos para as EQMs falham em explicar experiências lúcidas que ocorrem durante a parada cardíaca, quando a experiência consciente deveria ser fragmentada ou ausente. Esse problema fica ainda mais exacerbado em pacientes que, reanimados após parada cardiorrespiratória, relatam acontecimentos que não poderiam perceber e que são mais tarde confirmados.

Nos anos 1960, a psiquiatra suíço-americana Elisabeth Kübler--Ross (1926-2004) entrevistou inúmeros pacientes terminais, propiciando-lhes reconforto e alívio ao se oferecer para ouvi-los nos minutos finais. Em 1969, publicou seu livro mais famoso, *Sobre a morte e o morrer*. Nele, identifica fases nos períodos que antecedem a morte e cria métodos para médicos, enfermeiros e familiares acompanharem e ajudarem um paciente terminal. No final da carreira, dedicou-se a estudar as EQMs[9]. Entretanto, pelo menos de início, esse novo interesse foi recebido com ceticismo pela maioria dos cientistas e médicos.

Em 1975, vimos, Raymond Moody despertou o interesse no assunto quando publicou descrições de EQM em seu primeiro livro, *A vida depois da vida*. As pesquisas de Moody sobre o estado de consciência lúcida em situação de proximidade com a morte e sobre a possibilidade de uma vida depois provocaram vivo debate no mundo inteiro. Muitos relatos foram depois publicados, mas nem sempre se mostraram cientificamente demonstráveis.

À medida que o interesse sobre o tema aumentou, saber se os indivíduos que viviam essas experiências eram especiais por alguma razão se tornou motivo de inúmeras especulações. A pergunta que frequentemente se colocava era: como pode alguém ter consciência lúcida e recordações de cenas ocorridas no período em que estava inconsciente ou comatoso, quando o cérebro, objetivamente, funcionava mal? A partir dessa indagação, começou-se a questionar a teoria científica corrente segundo a qual a consciência e as recordações são produzidas pelo cérebro.

A maioria das tentativas de explicar as EQMs se baseia naquilo que, em inglês, denominam *anecdotal events* (isto é, fatos sem comprovação científica), quase sempre por estudos retrospectivos em voluntários. Nesses casos, as circunstâncias médicas em que ocorreu a EQM não podem ser verificadas. Mas, como já dissemos na Apresentação, os melhores estudos, os mais abrangentes, são os prospectivos, em que o pesquisador pode ter acesso ao paciente, às condições em que ocorreu sua reanimação, aos medicamentos usados e ao tempo da parada cardíaca. Obviamente, tais estudos nos fornecem dados mais confiáveis. Várias tentativas têm sido realizadas para testar a confiabilidade dos dados relatados por pessoas que passaram por EQMs. Um desses estudos, encabeçado por Bruce Greyson, é bastante representativo. Entrevistaram-se 75 pessoas que tiveram EQM, classificando suas respostas de acordo com a escala desenvolvida por Greyson. Duas décadas depois, essas mesmas pessoas foram de novo entrevistadas. Não houve diferença estatisticamente significativa entre os primeiros relatos e os posteriores, concluindo o autor que, passados tantos anos, não ocorreu embelezamento dos testemunhos[10].

Embora renomados pesquisadores tenham buscado na física quântica e nas ainda desconhecidas funções do DNA explicações científicas para aproximar o conhecimento das EQMs e enquadrá-las num contexto científico, nada disso pôde ainda ser demonstrado.

A maioria dos estudos publicados nos dá conta de que a incidência de EQM oscila entre 11% e 18% dos pacientes que sofreram parada cardíaca. No estudo holandês de Pim van Lommel, uma informação curiosa é que aqueles que passaram por várias reanimações durante uma parada cardíaca têm maior probabilidade de ter EQM do que os que tiveram uma única (e complicada) reanimação e permaneceram vários dias em coma, submetidos à respiração artificial por longos períodos.

Todos os estudos mostram que há ligação entre a idade e a ocorrência de EQM. Quanto mais jovem o paciente, maior a probabilidade de ter EQM durante parada cardiorrespiratória. No estudo de Van Lommel, a idade média dos pacientes que tiveram EQM era 60 anos, e a maior frequência se deu com os que tinham menos de 60.

Não há preferência de raça, nacionalidade, classe social, escolaridade, profissão, local de residência, situação familiar, profissão, crença religiosa – se protestantes, católicos, budistas, judeus, muçulmanos, hindus, agnósticos ou ateus não tem nenhuma importância, mesmo entre os que praticam regularmente a religião. (Dependendo de fatores pessoais e culturais, porém, as interpretações de cada um se modificam de acordo com suas crenças.) O conhecimento prévio dos fenômenos associados à EQM também não exerce influência alguma.

Como vimos, as EQMs podem ocorrer nas circunstâncias mais diversas, não exclusivamente quando a pessoa está com a vida ameaçada. Acontecem também em situações em que não existe perigo de morte nem de dano físico ou psíquico. Vejamos a seguir algumas situações em que as EQMs podem ocorrer.

QUANDO AS FUNÇÕES CEREBRAIS ESTÃO GRAVEMENTE ACOMETIDAS

1. Parada cardíaca em paciente que sofre infarto do miocárdio ou arritmia severa.
2. Coma provocado por lesão cerebral durante acidente automobilístico ou seguindo-se a hemorragia cerebral.
3. Coma provocado por início de afogamento, sobretudo em crianças.
4. Coma provocado por diabetes, asfixia ou apneia.
5. Coma provocado por tentativa de suicídio ou por intoxicação.
6. Perda de consciência provocada por choque (queda de pressão)
   a) em grave perda de sangue durante ou após o parto, ou durante intervenção cirúrgica;
   b) durante reação alérgica; ou
   c) durante grave infecção (septicemia).
7. Anestesia geral, após complicações operatórias.
8. Eletrocussão (choque elétrico).
9. Tentativa de homicídio com arma de fogo ou arma branca.

QUANDO AS FUNÇÕES CEREBRAIS NÃO FORAM AFETADAS

1. Doença grave, mas não imediatamente mortal, com febre alta.
2. Isolamento (naufrágio, por exemplo), desidratação extrema ou hipotermia.
3. Depressão ou crise existencial.

4. Meditação.
5. Sem causa médica aparente (durante um passeio na natureza, por exemplo).
6. Em experiências similares, chamadas de *experiência de medo da morte*. Assim, relatam-se casos de EQM na vigência de um medo de morte aparentemente inevitável – um acidente a ponto de acontecer, numa estrada ou montanha, por exemplo.

Embora possam ocorrer em situações físicas e psicológicas muito diferentes, as EQMs frequentemente acontecem depois de grave acometimento das funções cerebrais. Mas por que apenas um pequeno número de pessoas que sofreram grave acometimento das funções cerebrais tem EQM? Michael Sabom, que estudou o fenômeno em pacientes essencialmente cardíacos, não observou nenhuma diferença que explicasse por que elas ocorrem ou não. Nem as causas médicas da situação crítica, nem os métodos de reanimação, nem a duração estimada da inconsciência, nem o intervalo entre a situação crítica e a entrevista constituíram explicação para a ocorrência do fenômeno. O estudo holandês, quando levou em conta a duração da parada cardíaca, a duração do período de inconsciência ou os medicamentos administrados, tampouco encontrou diferença estatística entre os pacientes que sofreram EQM e os que não sofreram. Fatores psicológicos como o medo da morte e o conhecimento prévio de EQM não tiveram nenhuma influência, e o mesmo valeu para o sexo, a escolaridade e a religião. O estudo não conseguiu explicar por que alguns pacientes e não outros mantêm consciência lúcida enquanto o cérebro não dá sinal algum de atividade durante uma parada cardíaca.

O paradoxo da consciência ampliada durante a interrupção das funções cerebrais permanece um desafio para a ciência. Greyson concluiu:

> A presença paradoxal de uma consciência aguda, lúcida, e de processos de pensamento lógico durante um período de irrigação insuficiente do

cérebro levanta questões particularmente embaraçadoras para nossa compreensão atual da consciência e de sua relação com as funções cerebrais. Como vários outros pesquisadores concluíram, uma sensorialidade clara e processos perceptivos complexos durante um período de morte clínica aparente vêm perturbar a concepção de uma consciência exclusivamente localizada no cérebro.[11]

Pim van Lommel faz uma análise sistemática das possíveis explicações para o aparecimento das EQMs, dividindo-as em teorias fisiológicas (cerebrais) e psicológicas.

TEORIAS FISIOLÓGICAS

FALTA DE OXIGÊNIO

Quando ocorre parada cardíaca, a falta de oxigênio no cérebro provoca a parada respiratória, desencadeando perda de consciência por ausência completa de oxigenação (o que recebe o nome anóxia). A respiração se interrompe, os reflexos do tronco desaparecem e, caso não se faça a reanimação dentro de cinco a dez minutos, o paciente morre. Entretanto, se ocorre apenas insuficiência de oxigênio para o cérebro (hipóxia), como acontece por causa de hipotensão (choque), a insuficiência cardíaca não acarretará necessariamente perda de consciência, mas haverá confusão mental e agitação. As lesões cerebrais que em geral se seguem ao coma produzem também confusão mental, pânico, perda de memória e dificuldade de expressão.

Para a maioria dos autores, é essa a explicação científica das EQMs. Uma interrupção na oxigenação cerebral, grave e potencialmente mortal, desencadeia um curto período de atividade anômala no cérebro, seguida de atividade reduzida até a parada completa do funcionamento. Isso produz o bloqueio de alguns receptores químicos no cérebro e a liberação de endorfinas, uma espécie de morfina biológica produzida pelo corpo, as quais provocariam alucinações e sensação de paz e de beatitude. Simples assim, e as EQMs não constituiriam mais nenhum mistério.

A contra-argumentação a essa hipótese é que as EQMs são sempre acompanhadas de consciência lúcida, com lembranças muito claras, e ocorrem também em circunstâncias que não implicam perda de oxigenação cerebral, como acidentes automobilísticos, depressão ou meditação. Além disso, as denominadas "alucinações" que ocorrem em quaisquer outras circunstâncias (seja por drogas alucinógenas, seja por doença mental) se dão sem relação alguma com a realidade circundante, ao passo que as "alucinações" descritas durante a EQM refletem experiências que podem ser corroboradas por outros: quando "sai do corpo" durante uma reanimação, o paciente registra percepções a partir de um ponto situado acima de seu corpo sem vida, e médicos e enfermeiros e outras testemunhas podem posteriormente testemunhar os fatos relatados por ele após a reanimação.

De outra parte, como pode o cérebro funcionar a ponto de o indivíduo ter "alucinações" se não está funcionando? Para haver alucinação, é necessário o funcionamento pleno do cérebro.

Para a passagem por um túnel (tão frequentemente relatada por pessoas que tiveram EQM), alguns pesquisadores têm uma explicação. A conhecida psicóloga britânica Susan J. Blackmore (1951-) elaborou a hipótese de que o déficit de oxigenação do córtex visual explicaria o fenômeno[12]. Segundo essa autora, a passagem através do túnel seria provocada pela queda do suprimento de oxigênio para os olhos, o que desencadearia perda progressiva do campo visual, obscurecendo quase toda a visão, deixando apenas um pequeno ponto visual prestes a desaparecer e, assim, levando o paciente a interpretar aquilo como um túnel. No entanto, segundo as pessoas que vivenciaram a EQM, a passagem pelo túnel quase sempre ocorre acompanhada da sensação de grande velocidade, do reencontro com pessoas mortas e, às vezes, de música – todos fenômenos que a falta de oxigenação não consegue explicar.

A síncope (desmaio) provocada por hiperventilação (respiração profunda forçada) pode produzir estados de consciência semelhantes aos relatados por pilotos colocados numa centrífuga. O indivíduo fica com o nariz tampado e expulsa todo o ar dos pulmões pela boca, respirando fundo e repetidamente. Isso faz que os batimentos cardíacos se tornem menos frequentes (bradicardia) e a pressão arterial caia, levando ao desfalecimento momentâneo. Tais experimentos foram comparados ao que ocorre durante EQMs[13].

EXCESSO DE GÁS CARBÔNICO

Quando se reduz a taxa de oxigênio no sangue, ocorre aumento da concentração de gás carbônico (CO_2). Essa taxa elevada de CO_2 no sangue tem sido responsabilizada pelos fenômenos de EQM. Há quase 80 anos, o neurologista húngaro Ladislas Meduna (1896-1964) propunha a inalação de CO_2 para tratar doenças mentais. Alguns dos pacientes de Meduna sentiam-se separados do corpo e, às vezes, relatavam uma luz intensa, um túnel, rápidas lembranças e sensação de paz[14]. As imagens eram raras, em geral bastante fragmentárias, e os pacientes nunca mencionaram visão de algum filme da própria vida, nem reencontro com pessoas que haviam morrido. Nenhum deles relatou mudança de vida após a experiência. Dito de outra forma: a inalação de CO_2 não provoca todos os elementos relatados da EQM.

Na prática clínica, durante uma reanimação cardíaca, é muito difícil medir a concentração de oxigênio e gás carbônico no sangue e impossível aferir a concentração desses gases nos vasos cerebrais. Na maioria das vezes em que a medição é feita, os pacientes já se encontram inconscientes, com respiração assistida e ritmo cardíaco restabelecido. Nessas condições, o sangue é retirado de um braço ou perna, e, se o paciente depois relatar EQM, os resultados daquelas amostras mostrarão elevada taxa de oxigênio e baixa quantidade de gás carbônico.

Em 2010, pesquisadores da Universidade de Liubliana (Eslovênia) publicaram um estudo correlacionando o gás carbônico com a ocorrência de EQM. Em amostra de 52 casos de sobreviventes a crise cardíaca socorridos fora do hospital, 21% tiveram EQM, e houve correlação significativa com elevada taxa de CO_2 tanto no ar expirado como no sangue arterial. O estudo teve grande repercussão na grande mídia: estava enfim explicada cientificamente a causa das EQMs. No entanto, haver correlação é uma coisa, ser a causa é outra. Os próprios autores do trabalho foram enfáticos: "Não é possível explicar as EQMs somente em termos de processos fisiológicos [...]. A confiabilidade e a pertinência clínica de nossos resultados deveriam ser objeto de estudos mais aprofundados"[15].

Pim van Lommel, por outro lado, fez várias críticas ao estudo esloveno.[16] Entre elas, o fato de que os autores estudaram pacientes que tinham sido socorridos fora do hospital. As amostras de sangue arterial foram retiradas nos cinco primeiros minutos após a admissão hospitalar, significando que a maioria dos pacientes já tinha recebido desfibrilação bem-sucedida e sido ressuscitada, com ritmo cardíaco e pressão arterial restaurados no momento da admissão. De outra parte, o estudo não precisa o momento em que mediram o CO_2 da expiração: imediatamente depois da parada cardíaca? Ou durante o transporte para o hospital? A principal conclusão do trabalho esloveno, vimos, foi que a alta concentração de CO_2 nas amostras de sangue arterial e no ar expirado teve correlação com a probabilidade ligeiramente superior de relatar EQM. Entretanto, isso não explica por que a maioria dos pacientes que apresentaram elevada taxa de CO_2 não teve EQM. Alguns trabalhos demonstram que uma taxa elevada de CO_2 exalado durante a reanimação cardíaca é prognóstico de que a ressuscitação será bem-sucedida. Logo, atribuir as EQMs apenas à elevada taxa desse gás parece ser conclusão prematura e incerta.

REAÇÕES QUÍMICAS NO CÉREBRO

CETAMINA

A cetamina (ou ketamina), antigamente utilizada em doses baixas como anestésico, provoca alucinações, bloqueando alguns receptores neuronais (NMDA). Originou-se daí a suposição de que ela poderia ser liberada no cérebro durante um período de estresse ou um déficit de oxigenação. Em pequenas quantidades, é verdade, a cetamina produz em algumas pessoas a impressão de se destacar do próprio corpo ou de passar por um túnel[17]. Mas não se conhecem casos nos quais tenha desencadeado o reencontro com pessoas mortas, suscitado a visão de um filme da própria vida nem causado transformações positivas. Além do mais, as alucinações por cetamina contêm imagens muito assustadoras e esquisitas, de tal forma que os pacientes voluntários dessas pesquisas se recusam a recebê-la novamente. Por fim, nenhuma substância semelhante à cetamina foi identificada no cérebro; logo, associá-la ao desencadeamento de EQM não é hipótese viável.

ENDORFINAS

Uma das primeiras tentativas de explicar as EQMs foi pelas endorfinas, substâncias liberadas no cérebro. Agem como neurotransmissores e, normalmente, são liberadas em pequena quantidade. Durante situações de estresse, porém, o são em grande quantidade. Podem eliminar a dor e provocar sentimento de bem-estar e paz. No entanto, os efeitos das endorfinas costumam durar horas, ao passo que a ausência de dor e os sentimentos de paz das experiências de quase morte desaparecem tão logo se retorna à consciência. As endorfinas tampouco explicam algum dos outros fenômenos descritos nas EQMs.

DMT (DIMETILTRIPTAMINA)

O LSD (que é sintético) e substâncias encontradas de modo abundante na natureza (como a psilocibina, a mescalina e a DMT, presentes notadamente em plantas originadas da América do Sul e do México e em determinados cogumelos dessas regiões) são drogas psicoativas e provocam alucinações. Todas elas guardam proximidade com a serotonina, neurotransmissor que é encontrado em grande quantidade no corpo e deriva do triptofano, e têm o mesmo receptor S2 da serotonina no cérebro. No corpo humano, a DMT é produzida na pineal, pequena glândula situada na profundidade do cérebro, bem perto de centros emocionais, visuais e auditivos. Está presente não apenas na pineal, mas também no fígado, nos pulmões e até nos olhos. A pineal, entretanto, é que contém substâncias capazes de converter a serotonina em DMT e em produtos que inibem a decomposição da DMT. Esses últimos são encontrados também nas plantas, aumentam muito a eficácia da DMT e, por isso mesmo, são misturados na *ayahuasca* dos índios da Amazônia.

A DMT tem propriedades alucinógenas muito superiores às do LSD e de quaisquer das substâncias psicoativas mencionadas. Sua duração no organismo é extremamente breve, pois várias enzimas a destroem tão logo cai na circulação. Mesmo assim, mostra-se bastante efetiva quando injetada na veia. A DMT atravessa a barreira hematoencefálica – aquilo que, nos vasos sanguíneos, impede a passagem de determinadas substâncias da corrente sanguínea para o cérebro, protegendo-o contra efeitos danosos de determinados elementos químicos.

Um dado curioso é que a DMT é produzida e estimulada pelos hormônios corticotrofina (hormônio adrenocorticotrófico, ou ACTH), cortisol, adrenalina e noradrenalina, todos eles encontrados também no cérebro. Em situações de estresse intenso, acidente automobilístico, parada cardíaca ou dor violenta, o corpo libera grande quantidade desses hormônios, que, por sua vez, estimulam a liberação de avultada quantidade de DMT. Possivelmente durante o processo de agonia, grande quantidade de DMT é liberada pela morte celular de células da glândula pineal. E, durante meditação profunda, as funções orgânicas normais se modificam; o nível de serotonina e provavelmente de DMT aumenta, e o de cortisol e ACTH diminui. Isso nos faz chegar à suposição, verdadeiramente coerente, de que a DMT tem papel especial no fenômeno da EQM.

Em 1965, uma equipe de pesquisadores alemães publicou artigo em uma importante revista científica inglesa, a *Nature*, anunciando que haviam isolado a DMT no sangue humano.[18] Em 1972, Julius Axelrod (1912-2004), pesquisador do U. S. National Institute of Health e Prêmio Nobel de Fisiologia-Medicina em 1970, declarou ter descoberto a DMT no tecido cerebral humano. Outro cientista afirmou ter detectado DMT na urina humana e no líquido cerebroespinhal. Não foi preciso muito tempo para que os cientistas viessem a declarar que a DMT é fabricada pelo corpo humano, ou seja, é endógena. Ela foi então considerada a primeira substância psicoativa endógena. (Depois seria a vez das endorfinas, descobertas em 1974.)

O mais profundo estudo sobre o papel da DMT foi realizado na Universidade do Novo México pelo psiquiatra Rick Strassman (1952-), que em 1990, depois de enorme batalha com a comissão de ética da universidade, conseguiu aprovação para fazer um estudo controlado. O trabalho consistiu em isolar quimicamente a DMT, encontrar progressivamente uma dose que fosse alucinógena e injetá-la em voluntários. "Uma das minhas motivações mais profundas ao buscar maior conhecimento sobre a DMT", escreveu Strassman, "era a procura de uma base biológica para experiências espirituais."

Da constatação de que grande quantidade de hormônios relacionados ao estresse é liberada na circulação durante as EQMs, Strassman aventou a hipótese de que a glândula pineal libere quantidades também grandes de DMT nesses momentos, quando os mecanismos inibitórios do DMT se tornariam inativos. Afinal, a maioria das EQMs acontece como experiências psicológicas místicas, psicodélicas, irresistíveis e, por isso, provavelmente associadas à DMT.

Em seu livro *The spirit molecule* [A molécula do espírito][19], Strassman faz curiosa aproximação entre a DMT, a glândula pineal e as afirmações contidas n'*O livro tibetano dos mortos*.[20] Segundo aquele antigo texto budista, são necessários 49 dias para que a alma renasça em outro corpo (reencarnar). Só ao fim desse período ocorre um acontecimento decisivo na formação do embrião humano: é quando não só aparecem os primeiros sinais da glândula pineal como também o feto se diferencia sexualmente.

Strassman viu estreita relação no sincronismo entre o surgimento da glândula pineal, a definição sexual do embrião e os ensinamentos do livro. Especulou se não seria esse o momento da introdução da força vital no ser humano, o que justamente o levou a denominar a DMT a molécula do espírito.

Entretanto, nenhum dos voluntários da injeção endovenosa de DMT teve experiência totalmente semelhante à descrita nas EQMs. Um deles sentiu a consciência separada do corpo e atravessou um túnel em direção a uma luz branca, quente, amorosa e onisciente. Seres o ajudaram nesse percurso, e alguns outros ameaçaram puxá-lo para baixo. Uma bela música o acompanhou durante as primeiras etapas da viagem. Tempo e espaço perderam o significado. Ficou tentado a não voltar dali, mas decidiu pelo retorno para partilhar as incríveis informações que havia recebido daquele novo mundo. Todos os voluntários tiveram uma experiência mística, de iluminação e atemporalidade inefáveis; contato e união com uma presença sumamente poderosa, sábia e amorosa, vivenciada às vezes como luz branca e brilhante; e a certeza de que a consciência continua após a morte do corpo. Muitos se viram fora do corpo, sentiram-se envoltos por um mundo transcendental, puderam penetrar no espaço cósmico e sentiram-se em comunhão com o universo. Nenhum deles encontrou familiares que já estivessem mortos.

Do ponto de vista neurológico, o que todos esses voluntários experimentaram não passou de vivência alucinatória, resultado de a DMT ter ativado os centros cerebrais responsáveis por visão, emoção e pensamentos. Ainda que tais pessoas não reconheçam que tiveram alucinação ou sonhos, não há outra explicação científica para o fato.

Rick Strassman, porém, optou por aceitar que todos os relatos de seus voluntários eram reais, e não produto de sonho ou alucinação. Eles relataram ter vivenciado níveis diferentes da realidade. Insistiram que esses níveis "alternativos" são de todo reais. "Simplesmente não conseguimos percebê-los, na maior parte do tempo." Strassman retoma a analogia da TV. Em vez de apenas alterar a cor ou o contraste das imagens no programa escolhido, a DMT consegue mudar de canal, possibilitando que os experimentadores assistam a realidades de mundos paralelos. Em seguida, o autor evoca mundos paralelos, "multiuniversos", aos quais não temos acesso. A semelhança entre as experiências vividas por usuários de drogas psicoativas e as EQMs dá o que pensar.

O neurologista e grande divulgador científico anglo-americano Oliver Sacks (1933-2015) relata a experiência com LSD vivida nos anos 1970 por Eric S.:

Deixei meu corpo e pairei na sala acima de toda a cena; em seguida me encontrei viajando ao espaço por um belo túnel de luz e me enchi de um sentimento de total amor e aceitação. A luz era a mais linda, cálida e acolhedora que já senti. Ouvi uma voz que me perguntou se eu desejava voltar à Terra e terminar de viver minha vida ou [...] ir para o amor e luz belíssimos do céu. No amor e luz estavam todas as pessoas que já viveram. Depois toda a minha vida passou pela mente num lampejo, desde o nascimento até o presente, e cada detalhe, cada sentimento e pensamento, visual e emocional, estiveram ali em um instante. A voz me disse que os humanos são "Amor e Luz" [...]. Esse dia ficará comigo para sempre; senti que me fora mostrado um lado da vida que a maioria das pessoas não pode sequer imaginar. Sinto uma ligação tão especial com cada dia que até mesmo as coisas mais simples e triviais têm imenso poder e significado.[21]

Como vimos, EQMs e EFCs ocorrem em momentos de proximidade da morte, mas também em situações não necessariamente ruins. Acontecem ao longo da meditação, no início do sono, durante orações etc. Eis a pergunta que se impõe: se situações tão díspares podem desencadear uma EQM, os mecanismos cerebrais que a produzem serão sempre os mesmos? Caso aceitemos a natureza fisiológica e cerebral do desencadear de uma EQM, deveremos ficar atentos a essa questão. Uma coisa é a condição de não funcionamento cerebral, durante parada cardiorrespiratória, com reflexos do tronco cerebral abolidos e com baixa ou nenhuma oxigenação cerebral; outra coisa é uma EQM durante ataque epiléptico, em que as áreas corticais estão sobrecarregadas por descargas elétricas anormais; outra ainda é uma EQM ocorrida por ação de drogas psicoativas ingeridas ou espontâneas, como ocorre durante a meditação. Está aí um grande desafio para a neurociência. De outra parte, uma EQM com o cérebro fora de funcionamento, com reflexos do tronco sem resposta, é – se efetivamente comprovada – bom indício da separação entre o cérebro e a consciência.[22]

Depois de ter tomado conhecimento dos diversos trabalhos científicos sobre relatos de EQM, lido os principais cientistas que se debruçaram sobre o tema da consciência e ouvido inúmeros relatos de pessoas que tiveram EQM, sou obrigado – sem querer desmerecer outras teorias e tantos esforços – a reconhecer que a hipótese mais razoável para explicar a consciência é a que a considera não local. Nada de original nesse raciocínio. Inúmeros pesquisadores o propuseram, entre eles Pim van Lommel.

Com base nos genes, a ciência desvendou os mistérios da hereditariedade, conheceu o mecanismo de replicação do DNA, explica por ele a origem da própria vida nos oceanos primitivos, atribui-lhe a morfogênese – a construção de um braço, uma perna, um olho, um pulmão, um coração e um cérebro, inferindo que o desenvolvimento completo de qualquer ser vivo está contido numa espécie de código de barras impresso nas duas células germinativas iniciais. Entre as razões pelas quais a ciência materialista não admite que aspectos fundamentais da natureza humana, tais como a subjetividade e a própria consciência, não podem ter nenhuma outra explicação além da combinação eletroquímica que se passa entre neurônios (ainda que no nível subcelular, molecular ou mesmo subatômico), está a contínua expansão que, nas últimas décadas, ocorreu no conhecimento da neurofisiologia e, particularmente, da neurobiologia.

O conhecimento do DNA – essa "espiral imortal", nas palavras de Richard Dawkins[23] – abriu enorme vereda por onde as especulações a respeito da evolução caminham em ritmo cada vez mais acelerado, acumulando muitas dúvidas, mas também muita informação científica. O herói dessa história, que mal começa a ser escrita, é o gene – tão parecido com uma personagem de ficção! São esses fragmentos do DNA que, quando ativados, coordenam a formação das proteínas – a base de todas as células – e constituem nosso corpo, olhos, ouvidos e neurônios. No entanto, ainda vacilamos ao tentar explicar a origem e o funcionamento de nossa mente.

Para o bioquímico e divulgador inglês Rupert Sheldrake (1942-), modelos gerados por computador nos permitem ver a mente como o *software* que atua por meio do *hardware* do cérebro. Em breve, sonhos como a inteligência artificial e até a consciência em máquinas podem se aproximar da realidade.[24] Assim, os organismos vivos são, em princípio, plenamente explicáveis do ponto de vista da física e da química. Nossa limitada compreensão tanto dos mecanismos de desenvolvimento como do sistema nervoso central deve-se à imensa complexidade dos problemas. Agora, porém, estamos armados com os novos e poderosos conceitos da biologia molecular e com os modelos gerados por computador, e esses assuntos podem ser tratados de uma forma que antes não era possível.

5. Ciência e EQM

AO SE ESTUDAR CIENTIFICAMENTE os fenômenos de EQM, o problema incontornável estava colocado desde o início. Como validar uma experiência relatada apenas na primeira pessoa e impossível de reproduzir em laboratório? Em última análise, quais seriam as ferramentas adequadas para um estudo científico da consciência? Foram esses os obstáculos – os quais ainda subsistem – para trazer a tais experiências o controle rigorosamente necessário a toda pesquisa científica.

A despeito dessas óbvias dificuldades, vários pesquisadores foram a campo para tentar compreender os fenômenos descritos por pessoas que estiveram à beira da morte e retornaram.

KENNETH RING

Professor emérito de psicologia na Universidade de Connecticut, cofundador e ex-presidente da International Association for Near--Death Study e editor-fundador do *Journal of Near-Death Study*, o americano Kenneth Ring (1935-), alguns anos após a publicação do livro de Raymond Moody e do incansável trabalho de Elisabeth Kübler-Ross, levou adiante um estudo sistemático para analisar cientificamente os casos de EQM[1].

Ring considerou que a completude da experiência de quase morte compreende cinco fases distintas. Menciona de início a fase afetiva, em que ocorrem impressões de paz absoluta, calma, liberdade, felicidade. O sofrimento desapareceu.

A segunda fase é a saída do corpo. Alguns pacientes têm simplesmente a impressão de não possuir mais corpo, de não sentir mais dor nem restrição. Outros, porém, conseguem ver o próprio corpo sem vida e tudo o que se passa ao redor – em geral uma visão de fora e acima do cenário. Veem e compreendem perfeitamente o que está sendo dito. Sentem-se destacados do próprio corpo, mas transparentes.

A terceira fase de Ring ocorre quando os pacientes chegam a um lugar escuro, geralmente de paz. Alguns demoram nessa fase, mas outros já mergulham num túnel rumo a uma luz excepcionalmente clara sem ser ofuscante, a qual irradia um amor e uma aceitação incondicionais. Ring considerou que essa experiência corresponde à quarta fase.

A quinta fase consiste em penetrar em outra dimensão, sobrenatural, de incrível beleza, onde a pessoa ouve música e, eventualmente, reencontra familiares e amigos mortos. É nessa fase que pode haver o filme de toda a vida passada e até *flashes* da vida futura. Todos se ressentem por ter de deixar esse ambiente e retornar ao próprio corpo.

Ao confrontar o resultado de sua investigação com os trabalhos de Moody e Kübler-Ross – que concluíram que seus achados eram indicativos de que há outra vida após a morte –, Ring apontou quatro questões para as quais aqueles dois autores não tinham obtido resposta:

1. *Qual é a frequência de EQM entre pacientes que estiveram clinicamente mortos e retornaram à vida?* Ring argumenta que Moody descreveu apenas os casos por assim dizer "positivos", de pacientes que foram considerados clinicamente mortos e, ao regressar, relataram suas EQMs. Ring também questiona se essa proporção de pessoas que passaram pela experiência varia em função da população estudada ou do estado associado com a morte iminente aparente. Dito de outra forma: será que alguém sabedor dos riscos de sua morte iminente tem

maior probabilidade de vivenciar uma EQM do que aqueles que vão sofrer morte súbita, sem ter portanto noção de que estão prestes a morrer?
2. *A ocorrência de EQM depende ou não do fator que a desencadeou?* Ou seja, uma vítima de acidente automobilístico está mais sujeita a vivenciar uma EQM do que alguém que teve parada cardíaca por infarto do miocárdio? Ou seria o contrário? Segundo Van Lommel, ocorre EQM em cerca de 20% das tentativas de suicídio[3]. Nos casos por nós entrevistados, houve um único relato de tentativa de suicídio seguida de EQM. Nesse relato não ocorreu transcendência, e a experiência foi considerada terrificante. No entanto, o tema é controverso. Alguns trabalhos demonstram que pacientes que tentaram o suicídio tiveram EQM transcendental, com paz e alegria.
3. *Qual é a relação entre a religiosidade e EQM?* Uma objeção corrente é que tais experiências se devem unicamente às crenças religiosas pessoais. Todos os casos que Moody publicou em seu livro eram de pessoas nascidas nos Estados Unidos. A maioria dos americanos professa algum tipo de religião e, portanto, tem pelo menos alguma noção de vida após a morte. A pergunta que se apresenta é: no limiar da morte, a religiosidade poderia produzir imagens sobrenaturais? Todo trabalho com pretensões cientificas sobre EQM deveria levar em conta a religiosidade ou não dos componentes da amostragem.
4. *A transformação que ocorre em quem sofreu EQM é ponto importante a considerar na pesquisa.* Também é preciso levar em conta esta outra questão: a pessoa que esteve no limiar da morte sofreu transformações profundas simplesmente por ter tido essa experiência? Ou as transformações se deverão também – ou unicamente – ao fato de ter tido EQM?

Com base nos 102 relatos cujos dados estatísticos submeteu a análise quantitativa e qualitativa, Ring chegou à conclusão de que a profundidade e a probabilidade de ocorrência de EQM não apresentam ligação significativa com perfil demográfico, nem com o entrevistado ter confessado ou não ser adepto de uma religião, tampouco com religiosidade ou conhecimento prévio do que é EQM. O pesquisador constatou ainda que sua forma independe da causa que provocou o estado de quase morte do paciente. Verificou que o fenômeno é relativamente frequente.

Os resultados da pesquisa de Ring coincidem praticamente na totalidade com os casos descritos por Moody. A única exceção é que em nenhum dos casos surge referência a um "ser de luz", embora na maior parte haja referência a uma luz, descrita na maioria das vezes como calorosa, afetuosa e reconfortante. Muitos afirmaram uma sensação de "presença", mas ninguém utilizou a expressão "ser de luz". O próprio Ring não atribuiu nenhuma importância a isso, até porque outros autores haviam incluído entre seus achados poucas referências a tal ser. A não ocorrência disso na série de Ring coincide e reafirma a raridade do dado em outras pesquisas. Da mesma forma, muitos fenômenos citados por Moody parecem ocorrer raramente – por exemplo, a audição de um ruído, a viagem através de túnel e as sensações de isolamento, de "segundo corpo" ou de estar no limiar de uma fronteira.

MICHAEL SABOM

Em 1976, ainda no primeiro ano de residência na Universidade da Flórida, o jovem cardiologista americano Michael Sabom (1954-) foi convidado a ler e opinar sobre *A vida depois da vida*, o livro de Moody. Prenhe de informações científicas devidas à própria formação profissional, Sabom se mostrou extremamente cético; tudo aquilo lhe pareceu material de ficção. Assumiu, porém, o compromisso de ler o livro e dar parecer "científico" a uma comunidade luterana que frequentava. Antes, resolveu entrevistar alguns dos pacientes de sua enfermaria que, no transcorrer das respectivas doenças, tinham estado próximos da morte. Para surpresa de Sabom, uma mulher que havia sofrido parada cardíaca e se recuperado relatou EQM em tudo parecida com os casos descritos por Moody. A assistente social em psiquiatria Sarah Kreutziger, que trabalhava com pacientes renais submetidos a diálise, conhecia vários que tinham beirado a morte. Ao interrogá-los sobre possível EQM, encontrou um com descrições análogas.

Sabom observou que os casos descritos por Moody tinham sido coletados de maneira não sistemática. A maioria foi colhida de pessoas que, quando souberam de seu interesse pelo tema, buscaram contato com ele para contar suas experiências. Segundo Sabom, não havia meio de saber se tais testemunhos eram autênticos ou simplesmente inventados. Além disso, 150 pessoas teriam sido entrevistadas para escrever *A vida depois da vida*, e os exemplos relatados no livro representavam apenas uma pequena fração daquele número.

Sabom ainda tinha dúvidas sobre as características sociais, profissionais, religiosas e escolares de cada um dos entrevistados e qual exatamente tinha sido o estado clínico que induziu as EQMs. Por fim, apontou esta ressalva do próprio Moody:

> Ao escrever este livro, estou perfeitamente consciente de que meu objetivo e a perspectiva na qual me coloquei poderiam ser facilmente mal compreendidas. Em particular, gostaria de dizer aos leitores com espírito científico que estou bastante convencido de que o que fiz aqui não constitui um estudo científico.[2]

Embora nada disso desmereça o trabalho pioneiro do autor, o estudo de Moody é insuficiente quanto a rigores científicos que ele mesmo reconhece não ter havido. Por isso, Sabom decidiu fazer um estudo sistemático que, em parte dos casos, seria prospectivo. Ao longo dos anos seguintes, entrevistou 116 pessoas que sobreviveram depois de ter sido consideradas quase mortas e, em 1982, publicou *Recollections of death* [Recordações da morte].

Em dez dessas pessoas, o episódio tinha ocorrido durante anestesia geral em cirurgia de grande monta. Na análise final, Sabom excluiu esses casos, restando, portanto, 106 para sua análise. Desses, 78 foram recrutados por estudo prospectivo. Sobre eles, a única informação prévia à entrevista era o fato de que todos tinham sobrevivido a algum episódio de inconsciência no qual quase morreram em contexto não cirúrgico. Cerca de 27% dos entrevistados tiveram pelo menos uma EQM. Alguns pacientes com mais de um episódio crítico tiveram também mais de uma. A conclusão final de Sabom é que EQMs são bastante comuns em pacientes que sobreviveram a alguma situação crítica.

Um dado curioso no trabalho de Sabom: as entrevistas sugerem que ter conhecimento da existência de EQM não predispõe as pessoas a passar pelo fenômeno. Isso porque, no curso do estudo, os entrevistados que tinham conhecimento do tema previamente à própria experiência relataram terem-na vivido menos frequentemente que aqueles que não tinham.

Naqueles 78 casos selecionados para estudo prospectivo, não foram significativos para influenciar a EQM os seguintes dados: idade, raça, local de residência, *status* econômico-social, escolaridade, meio profissional, religiosidade ou regularidade da frequência a cultos religiosos. Tampouco houve predominância deste ou daquele sexo.

De outra parte, o tipo de estado crítico que colocou o paciente à beira da morte (parada cardíaca por infarto, coma provocado por acidente, doença infecciosa, crise convulsiva) também não teve influência no aparecimento ou não de EQM.

A maioria dos entrevistados por Sabom que tiveram EQM afirmou ter menos medo da morte e crer fortemente em outra vida – opinião completamente diversa daquela dos que estiveram à beira da morte e não tiveram EQM.

BRUCE GREYSON

Bruce Greyson (1946-), cientista e professor de psiquiatria da Universidade da Virgínia que já encontramos no capítulo anterior, é o mais destacado pesquisador americano em experiências de quase morte. Sobre o assunto, publicou mais de 15 trabalhos em revistas médicas muito reconhecidas e desenvolveu uma escala de profundidade das EQM que é utilizada na maioria dos estudos científicos do tema[3].

Em ampla revisão da literatura sobre EQMs, Greyson enumera as várias teorias para explicá-las.[4] Relata que muitos neurocientistas, físicos e psicólogos – mas não todos eles – acreditam que a mente e a consciência são produzidas pelo cérebro. Os defensores dessa teoria têm por base as relações entre danos cerebrais e alterações mentais: a inibição da atividade cerebral geralmente inibe a atividade mental. Como exemplo, Greyson cita o fato bem estabelecido de que o lobo frontal controla ou medeia, por meio da inibição, a percepção e outras atividades cognitivas.[5] É assim que a concentração e a atenção podem ser mantidas para que a mente permaneça focalizada. Greyson realça ainda o fato – igualmente bem estabelecido – de que danos em áreas específicas do cérebro perturbam vários aspectos da consciência e da atividade mental, inclusive o pensamento, a fala e a consciência da imagem corporal.

O cientista, porém, ressalta que "correlação não é o mesmo que causação". Com isso, aponta dois modelos para explicar a origem da mente: o de produção, que postula que o cérebro gera a mente; e o de filtro ou transmissão, que postula que o cérebro pode permitir ou mediar a mente. É essa última a hipótese defendida pelo pesquisador americano. Greyson advoga que, embora a correlação observada entre estados cerebrais e estados mentais seja compatível com a teoria de produção, é também compatível com a teoria do filtro ou transmissão – ou seja, de que a mente é filtrada, focada, limitada, restrita ou recebida pelo cérebro. Dessa forma, o cérebro pode ser o veículo que recebe, transporta e transmite, mas não é necessariamente sinônimo da mente.

Segundo Greyson, as EQMs fornecem pista importante para compreender a relação mente-cérebro. "Se a mente, a consciência, é mantida durante a morte clínica, isso indicaria que a mente é tão somente dependente do cérebro, assim como uma transmissão de rádio depende de um receptor e uma unidade de transmissão", mas não é nenhuma dessas coisas. De outra parte, afirma, dezenas de casos relatados na literatura médica no decorrer de séculos têm documentado o fenômeno da *lucidez terminal*, o inexplicável retorno de clareza mental e memória pouco antes da morte em pacientes que durante anos sofreram de esquizofrenia crônica ou demência[6]. Essa paradoxal clareza mental aprimorada enquanto as funções cerebrais se deterioram sugere certa independência da mente perante o cérebro. Da mesma forma as EQMs, profundas experiências subjetivas que o homem relata quando está próximo da morte e que representam um desafio para o modelo materialista de produção da mente-cérebro.

Na experiência de vários autores – e na minha, ao entrevistar mais de 100 pacientes que vivenciaram pelo menos uma EQM –, uma das mais impressionantes constatações é que a vasta maioria das pessoas diz ter perdido completamente o medo da morte e adquirido com a experiência a certeza de que sobreviverão à morte física.

A suposição hegemônica é que, para uma visão científica das relações mente-cérebro, a hipótese de sobrevivência após a morte associada às EQMs nada mais é do que alucinação resultante de processos fisiológicos ou psicológicos. No entanto, vimos que vários pesquisadores do assunto se contrapõem a tal suposição. Eles, ao contrário do que acredita a vasta maioria dos cientistas e filósofos modernos, alegam que as correlações dos processos mentais com os biológicos não implicam necessariamente que os primeiros derivem e sejam inteiramente dependentes dos últimos.

Os mesmos pesquisadores não hegemônicos observaram de perto as inadequações das explicações fisiológicas e psicológicas que foram propostas até agora. Um dos casos descritos por Emily Williams Cook, Bruce Greyson e Ian Stevenson em 1998 é o de Al Sullivan, que, dez anos antes, sofreu uma operação cardíaca de emergência.[7]

Segundo seu testemunho, Sullivan, assim que recuperou a consciência e o tubo lhe foi retirado da garganta para que pudesse falar, disse ao cardiologista Anthony LaSala o que havia observado durante a cirurgia. A primeira reação de LaSala foi atribuir a experiência às drogas usadas na anestesia. Em seguida, porém, Sullivan descreveu ter visto o cirurgião cardíaco, Hiroyoshi Takata, bater os braços dobrados como se tentasse voar. Nessa altura do relato, ainda segundo Sullivan, LaSala arregalou os olhos e perguntou quem tinha lhe contado isso. Quando Sullivan respondeu que ele mesmo tinha visto, pairando acima do próprio corpo na sala de cirurgia, LaSala explicou que aquele gesto era hábito de Takata: como já estava usando roupas e luvas estéreis, o cirurgião, para evitar contato com o paciente que ia sendo preparado, colocava a palma das mãos sobre o peito e dava instruções aos assistentes apontando com os cotovelos.

Bruce Greyson interrogou LaSala para saber mais detalhes. O cardiologista confirmou que era hábito de Takata colocar as mãos estéreis sobre o peito e apontar com os cotovelos e disse que não conhecia nenhum outro cirurgião com o mesmo comportamento. Como o início da cirurgia ocorrera com anestesia local, Greyson ficou imaginando se Sullivan não teria presenciado a cena dos cotovelos quando ainda não estava anestesiado. Sullivan, então solicitado a descrever em detalhe o que tinha visto, afirmou que observara os movimentos do cirurgião quando já estava com o peito aberto e afastado por braçadeiras de metal – e que, do alto, viu também dois outros cirurgiões trabalharem em sua perna. Recordava-se de ter ficado confuso, sem saber o que estariam fazendo, já que o problema era no coração. Só depois do primeiro depoimento soube que os cirurgiões removiam a veia da perna para fazer a ponte de safena que restabeleceria a circulação no coração.

Uma das contribuições de Bruce Greyson para o estudo das EQMs foi ter sistematizado as perguntas a fazer nos questionários, quantificando-as para estabelecer o que deveria ou não ser considerado EQM. Na Escala de Greyson[8], esses valores oscilam de 0 a 2, conforme a intensidade da experiência.

Como já mencionamos em nota, foi essa a escala que utilizamos para avaliar os casos que entrevistamos[9]:

O tempo pareceu ter acelerado ou ter passado mais devagar?
0 = Não.
1 = O tempo pareceu ter passado mais rápido ou mais devagar que o habitual.
2 = Tudo pareceu estar acontecendo de uma só vez. O tempo parou ou perdeu todo o significado.

Seus pensamentos ficaram mais rápidos?
0 = Não.
1 = Mais rápidos que o habitual.
2 = Incrivelmente rápidos.

Cenas do passado retornaram à sua mente?
0 = Não.
1 = Lembrei-me de muitos acontecimentos passados.
2 = Meu passado passou como um "filme" diante de mim, fora de meu controle.

Subitamente você pareceu compreender tudo?
0 = Não.
1 = Tudo a meu respeito ou a respeito dos outros.
2 = Tudo sobre o universo.

Você experimentou paz e bem-estar?
0 = Não.
1 = Alívio ou calma.
2 = Incrível paz e bem-estar.

Você teve um sentimento de alegria?
0 = Não.
1 = Alegria.
2 = Incrível felicidade.

Você teve sentimento de harmonia ou de unidade com o universo?
0 = Não.
1 = Não me senti mais em conflito com a natureza.
2 = Eu me senti um só ou uno com o mundo.

Você viu uma luz brilhante ou sentiu-se rodeado por ela?
0 = Não.
1 = Uma luz com brilho incomum.
2 = Uma luz claramente mística ou de outro mundo.

Seus sentidos estavam mais aguçados que o habitual?
0 = Não.
1 = Mais aguçados que o habitual.
2 = Incrivelmente mais aguçados.

Você pareceu estar consciente de coisas que aconteciam em outros lugares, como se fosse percepção extrassensorial?
0 = Não.
1 = Sim, mas os fatos que relatei não puderam ser confirmados.
2 = Sim, e os fatos que relatei foram confirmados.

Cenas do futuro apareceram para você?
0 = Não.
1 = Cenas do meu futuro pessoal.
2 = Cenas do futuro do mundo.

Você se sentiu separado do corpo?
0 = Não.
1 = Perdi a consciência do meu corpo.
2 = Claramente deixei meu corpo e existia fora dele.

> **Você pareceu ter entrado em outro mundo, sobrenatural?**
> 0 = Não.
> 1 = Um lugar desconhecido e estranho.
> 2 = Um lugar claramente místico e sobrenatural.
>
> **Você pareceu encontrar um ser ou presença mística? Ou escutar uma voz não identificável?**
> 0 = Não.
> 1 = Escutei uma voz que não consegui identificar.
> 2 = Encontrei um ser definitivo ou uma voz de origem claramente mística ou sobrenatural.
>
> **Você viu mortos ou espíritos religiosos?**
> 0 = Não.
> 1 = Senti a presença deles.
> 2 = Realmente os vi.
>
> **Você chegou a uma fronteira ou ponto sem retorno?**
> 0 = Não.
> 1 = Cheguei a uma decisão consciente de "retornar" à vida.
> 2 = Cheguei a uma barreira que não me foi permitido atravessar; ou fui "mandado de volta" contra minha vontade.

Para elaborar essa escala, Greyson recrutou 67 indivíduos, que tinham descrito 74 EQMs. Todos eram associados à International Association for Near-Death Studies, organização sediada nos Estados Unidos que promove a pesquisa sobre EQM. A nota de corte foi 7. Qualquer nota abaixo de 7 invalidaria a experiência de quase morte. Das 74 descrições de EQM, 83,8% obtiveram nota 7 ou acima de 7, com escore médio de 15,01.

PIM VAN LOMMEL

Em 1969, durante sua residência numa unidade coronariana holandesa, Pim van Lommel participou de uma equipe de reanimação que, utilizando desfibrilação, massagem cardíaca e respiração artificial, socorreu determinado paciente. Depois de várias tentativas de reanimá-lo, ele recuperou os batimentos cardíacos. Para alegria de todos, estava salvo. O tempo que ficara em parada cardíaca foi contabilizado: quatro minutos. Qual não foi a surpresa geral quando o homem recobrou a consciência e se mostrou extremamente decepcionado. Evocava um túnel, cores vívidas, uma luz, uma paisagem maravilhosa, música e muita emoção. Na época, não existia a expressão "experiência de quase morte".

O jovem cardiologista não esqueceu essa vivência, mas foi só em 1986, após a leitura de *Voltar do amanhã* (o livro de George Ritchie, já mencionado na Apresentação), que Van Lommel começou a ponderar se e como alguém em parada cardíaca poderia estar consciente e se a experiência era comum.[10] A partir de então, para saber se guardavam lembranças do período em que estiveram com o coração parado, interrogou sistematicamente, já mencionamos, 344 pacientes que tinham sido reanimados. Ao fim de dois anos, depois de ter inquirido quase 50 de tais pacientes, constatou que 12 haviam apresentado EQM. A pergunta que permanecia ia na contramão do que Van Lommel tinha aprendido no curso de medicina e que a ciência oficial tinha ensinado: é possível alguém em parada cardíaca preservar a consciência?

Durante uma parada cardíaca, os pacientes são considerados clinicamente mortos. Morte clínica é definida como um período de inconsciência provocado pelo aporte insuficiente de oxigênio ao cérebro (anóxia), seguido de interrupção da circulação sanguínea, da respiração ou de ambas. Se o procedimento de reanimação não for realizado de imediato, as células cerebrais sofrerão danos irreparáveis em cinco a dez minutos, e o paciente quase sempre estará morto, mesmo que o ritmo cardíaco venha a ser restabelecido mais tarde.

O segundo estudo que Van Lommel desenvolveu começou em 1988 e envolveu dez hospitais na Holanda. Todos os pacientes tinham sofrido parada cardíaca dentro ou fora do hospital.

Todos tinham também sido submetidos a eletrocardiograma (ECG) – exame que possibilita registrar a atividade elétrica do coração – durante aquele atendimento de urgência; quando fora do hospital, o ECG foi feito na ambulância. Quando o paciente está em parada cardíaca, seu ECG mostra sempre arritmia letal (fibrilação ventricular, desencadeando parada cardíaca que só pode ser tratada por choque elétrico, a desfibrilação) ou assistolia (ausência ou baixíssima frequência de qualquer atividade elétrica cardíaca, o chamado "ECG liso").

Após a reanimação, aplicavam um questionário e registravam todos os dados do paciente: idade, sexo, escolaridade, religião. Inquiriam se o paciente tinha conhecimento prévio sobre EQM e se já havia passado por uma experiência do tipo. Anotavam todas as informações médicas: duração da parada cardíaca; duração da inconsciência; número de tentativas de reanimação necessárias; natureza exata da arritmia cardíaca; se ocorrera intubação por causa de coma prolongado consequente a uma reanimação complicada. Também anotavam se o paciente tinha sido reanimado no hospital ou fora (e, nesse último caso, em que local); se a parada tinha ocorrido durante um procedimento cardíaco, como o cateterismo; se o paciente estava simplesmente em repouso no leito; e quanto tempo tinha decorrido entre a detecção da parada cardíaca e o procedimento de reabilitação e quanto este tinha durado. Era a primeira crise cardíaca do paciente ou ele enfrentara outra? Que medicamentos foram utilizados antes, durante e após a parada cardíaca? Em quais dosagens? (Quando o paciente permanece longo tempo sob respiração artificial, injetam-se frequentemente produtos muito potentes, que podem mantê-lo em coma por períodos prolongados.) Contabilizavam também o período entre a reanimação e a entrevista.

Foram necessários dez anos para a conclusão do estudo. Os pacientes eram entrevistados em média cinco ou seis dias após a reanimação e reentrevistados quatro a oito anos depois. Um grupo-controle foi constituído daqueles pacientes do mesmo sexo e faixa etária que tiveram parada cardíaca, foram reanimados mas não tiveram EQM. Estes foram comparados com o grupo dos que tiveram EQM. O objetivo era saber se as transformações sofridas pelas pessoas que sofreram parada cardíaca deviam-se à simples sobrevivência ou à EQM.

A primeira entrevista era sempre informal e começava por esta pergunta: "Você tem alguma lembrança do período em que esteve em parada cardíaca?" Se a resposta fosse positiva, a entrevista prosseguia e era registrada. O método trouxe alguns inconvenientes. Caso o paciente respondesse apenas "Pensei que ia morrer", era classificado como possível EQM, mas com nota baixa. Anos depois, quando novamente entrevistado, costumava-se concluir que o paciente não havia tido uma verdadeira EQM. Por outro lado, alguns que na primeira entrevista negaram ter lembranças do período em que ficaram sob parada cardíaca mudavam sua versão anos depois – confirmando que tiveram EQM, mas alegando que, quando entrevistados dias após a parada cardíaca, não relataram a experiência por receio de ser ridicularizados.

Na sala de reanimação de um dos hospitais do estudo, fez-se no dorso de uma luminária pendente uma inscrição de bom tamanho. Nem Van Lommel, nem os outros médicos, nem o pessoal de enfermagem sabiam que espécie de sinal fora colocado lá. A inscrição só poderia ser vista de cima, perto do teto. Nenhum dos pacientes que foram reanimados naquela sala relatou ter visto o sinal oculto. No entanto, uma enfermeira que participou do estudo-piloto de Van Lommel contou que determinado paciente teve uma experiência fora do corpo que pôde ser comprovada. Eis o relato da enfermeira:

> Durante o turno da noite, uma ambulância trouxe para a unidade coronariana um homem de 44 anos em coma, cianótico. Havia sido encontrado por transeuntes cerca de uma hora antes. Depois de ter dado entrada no hospital, recebeu respiração artificial sem ter sido intubado, enquanto faziam a massagem cardíaca e a desfibrilação. Tinha prótese dentária, que foi removida por

um enfermeiro e colocada no carrinho de eletrocardioversão. A reanimação cardiorrespiratória continuou por mais uma hora e meia, até que o paciente voltou a ter ritmo cardíaco e pressão arterial suficientes. Mais de uma semana depois, o enfermeiro encontrou no hospital o paciente, que disse ao vê-lo: "Ah, é aquele enfermeiro que sabe onde está minha dentadura. Pois é, você estava lá quando fui trazido para cá, tirou a dentadura da minha boca e colocou no carrinho que tinha todos aqueles frascos e uma gaveta embaixo.

O enfermeiro ficou surpreso, porque o paciente, ao ser admitido, estava em coma profundo e recebia a reabilitação cardiorrespiratória (RCR) quando a prótese foi retirada. O homem disse que tinha assistido a tudo de uma posição acima do próprio corpo. Viu os médicos e enfermeiros que faziam a RCR e foi capaz de descrever tudo corretamente, em detalhe.

Quando os pacientes relatavam lembranças do período de inconsciência, a EQM era codificada segundo um índice que se baseava no número de elementos relatados. Quanto mais elementos há, mais a EQM é considerada profunda, e mais elevada a nota final da experiência. Alguns elementos recebiam nota mais alta que outros.

Para classificar as EQMs de acordo com a profundidade, existem várias escalas. Já conhecemos a de Greyson. Van Lommel utilizou aquela desenvolvida por Kenneth Ring. Um escore de 0 a 6 é considerado insuficiente para que a experiência mereça o título EQM. De 7 a 9, trata-se de uma experiência pouco profunda. Já de 10 e 29 – esta a nota máxima –, a EQM é qualificada como profunda a muito profunda.

O questionário verifica os seguintes itens na sensação de estar morto: sensação de paz, de abolição da dor, de bem-estar; impressão de estar fora do corpo; impressão de estar numa região obscura; reencontro de uma presença/audição de uma voz; fazer um balanço da própria vida; ver ou ser envolvido por uma luz; ver cores extraordinariamente lindas; entrar na luz; reencontrar familiares ou amigos já falecidos.

Dos 344 casos analisados na pesquisa holandesa, 282 (82%) não tiveram nenhuma lembrança do período de parada cardíaca; apenas 62 (18%) referiram ter alguma lembrança. Desses, 21 tiveram uma simples lembrança; 18, uma EQM considerada profunda; e apenas seis, uma EQM muito profunda.

Para Van Lommel e sua equipe, uma pergunta ficou sem resposta: por que algumas pessoas têm lembranças do período de quase morte e a maioria não as tem? Tentando responder a isso, compararam os dados das 62 pessoas que relataram EQM com os dos 282 pacientes que também tiveram parada cardíaca e não relataram experiência de quase morte.

Os pesquisadores não identificaram nenhuma diferença significativa ao comparar a duração da parada cardíaca dos dois grupos, nem quando confrontaram o tempo de duração da inconsciência. Tampouco houve diferença entre os que permaneceram longo tempo em coma, intubação e respiração artificial e os que necessitaram de monitorização respiratória por pouco tempo ou nem sequer foram intubados. Não se encontrou nenhuma diferença entre os que tiveram parada cardíaca muito breve e os que a tiveram por períodos mais prolongados. Não houve diferença entre os que tiveram parada cardíaca durante cateterismo cardíaco e foram restabelecidos em dez a 15 segundos e os que tiveram a parada na unidade coronariana. O grau de insuficiência de oxigenação cerebral (anóxia) também não foi pertinente.

Os autores ressaltaram que, durante o período de reanimação, a maioria dos pacientes recebe injeções de analgésicos potentes, como morfina, e que alguns deles – mais graves, que devem permanecer intubados por tempo mais longo – recebem sedativos fortíssimos durante todo o período. Apesar disso, os medicamentos administrados não tiveram nenhum papel. Até mesmo relatos de cunho psicológico (como o medo da morte, o qual raramente é mencionado) não afetam a ocorrência de EQM. As crenças religiosas ou sua ausência (indiferentes, agnósticos ou ateus), assim como o nível de instrução, não exerceram nenhuma influência sobre ter ou não EQM durante parada cardíaca.

Os únicos fatores mensuráveis que influenciaram o aparecimento de EQM foram a idade – em todos inferior a 63 anos – e o fato de infarto do miocárdio ter sido a principal causa de parada cardíaca.

SAM PARNIA

Durante seu período como pesquisador na Universidade de Southampton (Inglaterra), o médico britânico Sam Parnia coordenou a coleta de dados de parada cardiorrespiratória num estudo multicêntrico que englobou vários países. Esse estudo, considerado o mais abrangente sobre o tema, foi denominado AWARE, de *AWAreness during REsuscitation* [consciência durante a ressuscitação]. Envolveu vários hospitais dos Estados Unidos, Reino Unido e Áustria, totalizando 2.060 pacientes de parada cardíaca, dos quais 330 tinham sobrevivido (16%). Desses, entrevistaram-se 140, 46% dos quais tiveram algum tipo de memória ou percepção visual e auditiva durante o período em que estiveram em parada cardíaca. Apenas 9% dos 140 descreveram experiências que, com base na Escala de Greyson, foram consideradas EQMs.[11]

6. Sentimentos, mente, consciência e localização cerebral

COM A PUBLICAÇÃO de seu livro *O erro de Descartes*, António Damásio brandiu talvez a mais ácida crítica dos últimos tempos ao dualismo cartesiano.[1] Entre os casos clínicos que o neurocientista descreve como sugestões de que a mente nasce e é produto do cérebro, o mais emblemático é o do americano Phineas Gage (1823-1860).

Gage era capataz da construção civil e trabalhava em uma estrada de ferro. Sua tarefa consistia em assentar os trilhos. Para limpar o caminho e instalá-los, era preciso explodir as pedras. Gage coordenava todas essas tarefas. Era considerado trabalhador eficiente e capaz.

Cada detonação exigia um ritual. Primeiro, era preciso fazer um buraco na pedra. Depois, encher o buraco até a metade com pólvora, adicionar o rastilho e cobrir a pólvora com areia. A areia era então calcada com uma barra de ferro, mediante cuidadosa sequência de pancadas. Por fim, acendiam o rastilho.

Certa tarde, às 16h30, Gage acabou de colocar a pólvora e o rastilho e pediu a um ajudante que colocasse a areia. Alguém o chamou e, por um instante, Gage olhou para trás. Distraído, antes de o ajudante ter introduzido a areia, Gage calcou a pólvora diretamente com a barra de ferro. Num segundo, surgiu uma faísca na pedra e a carga explosiva rebentou-lhe no rosto.

A barra de ferro entrou pela face esquerda de Gage, trespassou a base do crânio, atravessou a parte anterior do cérebro e saiu pelo topo da cabeça. Caiu a mais de 30 metros de distância, envolta em sangue e cérebro. O homem foi jogado ao chão. Estava atordoado e silencioso, mas consciente.

Andando pelas próprias pernas, apenas com a ajuda de alguns companheiros, ele foi levado a uma carroça, que o transportou um quilômetro até a estalagem onde um médico lhe daria os primeiros socorros.

Milagrosamente, Gage sobreviveu. Nunca mais foi o mesmo homem, porém. Conseguia ouvir, sentir e tocar, e não havia paralisia dos membros. Nem mesmo a fala tinha sido afetada. Perdeu a visão do olho esquerdo, mas a do direito estava perfeita. Caminhava com firmeza, utilizava as mãos com destreza e não tinha dificuldade nenhuma na linguagem. A mais notável avaria ocorreu na personalidade. As alterações tornaram-se evidentes assim que amainou a fase crítica da lesão cerebral. Gage ficou excêntrico, irreverente, usando por vezes a mais obscena das linguagens – o que antes não era seu costume – e manifestando pouca deferência para com os colegas. Parecia uma criança nas manifestações e capacidades intelectuais, mas carregava as paixões animais de um homem maduro, segundo relato do médico que o socorreu e acompanhou, John Harlow. Sua linguagem obscena era de tal modo degradante que se aconselhavam as senhoras a não ficar muito tempo na presença de Gage. As mais severas repressões vindas do próprio Harlow não conseguiram que o paciente voltasse a ter bom comportamento.

A mudança radical de personalidade fazia óbvio contraste com o Gage de antes do acidente. Antes, ele era um homem de "hábitos moderados", com "considerável energia de caráter". A mente era "bastante equilibrada"; aqueles que o conheciam o tinham por astuto e inteligente nos negócios, muito enérgico e persistente na execução de todos os seus planos de ação. A mudança foi tão radical que amigos e conhecidos dificilmente o reconheciam. Pouco tempo depois do retorno ao trabalho, foi dispensado porque "consideravam a alteração de sua mente tão acentuada que não lhe podiam conceder seu antigo lugar".

A derrocada continuou. Não tendo conseguido voltar ao ofício de capataz, aceitou serviços em haras. Acabou sendo dispensado por indisciplina, até que foi trabalhar num circo, onde exibia com vanglória a ferida e o ferro de calcar.

Suas aparições públicas se tornaram frequentes: ele chegou a exibir-se no Barnum Museum, em Connecticut. O ferro tornou-se seu companheiro inseparável, e Gage desenvolveu uma forte atração por animais, algo novo e fora do comum para ele.

Quatro anos depois do acidente, ele viajou para a América do Sul. Trabalhou em cutelarias e foi cocheiro de diligências em Santiago e Valparaíso.

Em 1860, Gage retornou aos Estados Unidos. Foi viver com a mãe e a irmã em São Francisco. Conseguiu trabalho numa fazenda, mas não ficava muito tempo no mesmo lugar. Tudo indica que sua saúde deteriorava a olhos vistos. Segundo a documentação que António Damásio teve em mãos, Gage começou a ter crises epiléticas e provavelmente faleceu durante uma sequência de ataques em 21 de maio de 1861.

Inúmeros exemplos de mudança de comportamento devido a lesões frontais estão descritos na literatura médica. A lesão sofrida por Gage nos lobos frontais interferiu no funcionamento da mente. O que significa esse tipo de afirmação? Se, de um lado, podemos concluir que sem o pleno funcionamento dos lobos frontais as manifestações mentais ficam avariadas, de outro um cientista não materialista, como Eccles, responderia: a manifestação mental foi prejudicada porque a interface que lhe permitia expressar-se convenientemente foi avariada pela lesão frontal. Tal afirmativa faz algum sentido?

Em agosto de 2007, viajei para o Canadá para assistir a uma neurocirurgia no Toronto Western Hospital, no serviço comandado por Andrés Lozano. Até 2005, Lozano tratara cirurgicamente alguns pacientes com depressão grave que não obtinham bons resultados com medicamentos antidepressivos. Tudo começou depois de levantada a hipótese de que a área subgenual (ou seja, debaixo do joelho do corpo caloso), região do cérebro tão minúscula quanto um grão de ervilha, poderia, caso fosse estimulada, aliviar os sintomas depressivos. Lozano optou então por implantar eletrodos de estimulação cerebral profunda na Cg25 de seis pacientes. O resultado dessas cirurgias foi a drástica remissão dos sintomas[2].

Há vários indícios de que a depressão não é um transtorno localizado numa única região do encéfalo nem está associada a um único neurotransmissor. No entanto, os mecanismos que explicariam a real disfunção que ocorre no cérebro de pessoas com depressão não são completamente conhecidos. A hipótese mais aceita é a de que esses mecanismos são multifatoriais.

Naquelas cirurgias de Lozano, após a trepanação (sob anestesia local), empurrava-se lentamente o eletrodo até atingir a área desejada. Depois de atingido o alvo, o eletrodo era fixado no crânio e iniciava-se a fase de testes. Em seguida, um gerador externo era conectado ao eletrodo para emitir estímulos mínimos de alta frequência. Nesse momento, a ficção invadia o mundo real. Uma paciente que tinha permanecido acordada todo o tempo irrompeu com exclamações espantosas: "Vejo as cores com maior nitidez!"; "Tenho de novo alegria de viver!"; "Quero colaborar com vocês"; "Estou me sentindo bem"; "Quero voltar à vida". A equipe de psiquiatras e psicólogos iniciou um interrogatório breve, mas suficiente para caracterizar a súbita mudança de humor. As respostas que ela deu foram convincentes de que se sentia verdadeiramente bem. Realizaram-se também alguns testes para avaliar a possibilidade de efeito placebo. Sem que a paciente soubesse, estímulos falsos foram aplicados e não acarretaram mudanças de comportamento, as quais só ocorriam quando o eletrodo era estimulado. Descartou-se, portanto, a possibilidade de melhora devida a esse efeito.

Em 1999, a equipe de neurocirurgiões do prof. Yves Agid, do Hôpital de la Pitié-Salpêtrière (Paris), operou uma paciente com doença de Parkinson. Essa cirurgia é relativamente comum nos grandes centros e, com indicações precisas, pode beneficiar pacientes e aliviá-los dos tremores e da rigidez característicos da doença. Instala-se um aparelho de estereotaxia no crânio do paciente e, uma vez fixado o arco estereotáxico, faz-se uma tomografia computadorizada. As imagens assim obtidas são armazenadas em um computador, e dá-se início à cirurgia. Quando o eletrodo alcança o alvo (em geral uma estrutura conhecida como núcleo subtalâmico) e é conectado a um gerador externo, o tremor do paciente se interrompe de imediato. É a confirmação de que os cálculos estavam corretos e de que a ponta do eletrodo se encontra no local previamente escolhido. Na cirurgia em questão, tratava-se de uma senhora de 64 anos, com 30 anos de doença de Parkinson. Ela permaneceu acordada durante todo o procedimento e, quando ligaram o gerador que aciona o eletrodo, começou a chorar, dizendo-se profundamente deprimida. Desligaram o gerador e ela parou de se lamentar e chorar. Desconfiando de que havia algo de errado com a posição do eletrodo, os cirurgiões solicitaram a autorização da paciente para ligá-lo mais uma vez. Ato contínuo, ela voltou a chorar e a se lamentar. A experiência foi repetida várias vezes, e em todas o resultado foi o mesmo. Ao ligarem o eletrodo, a paciente entrava em depressão; ao desligá-lo, voltava ao normal. Fizeram novas aferições e constataram que a ponta do eletrodo tinha ultrapassado em alguns milímetros o núcleo subtalâmico e se estendido até uma estrutura conhecida como substância negra. O eletrodo foi reposicionado, a depressão desapareceu e os tremores cessaram.[3]

Os pacientes cujo comportamento foi alterado pela estimulação de áreas específicas do cérebro constituem, aparentemente, evidência de localização cerebral da consciência ou da mente, pois a depressão é considerada uma alteração mental. Se somos capazes de suprimir a depressão ou desencadeá-la pela estimulação cerebral, isso parece provar que a mente, sem sombra de dúvida, está localizada no cérebro. Estimular algumas dessas áreas cerebrais específicas acarreta mudanças evidentes no comportamento, da mesma forma que a grande avaria nos lobos frontais de Phineas Gage mudou por completo a personalidade dele.

Entretanto, será que essa óbvia conclusão é definitivamente explicativa de que as áreas cerebrais estimuladas criaram o comportamento observado? Não estariam aqueles neurônios de certa forma avariados – ou, em outras palavras, pouco estimulados –, o paciente tornou-se depressivo por isso e a estimulação da substância negra mudou a mente, provocando uma súbita depressão que pôde ser interrompida tão logo se desligou o eletrodo?

Que conclusões para nossa discussão de mente *versus* cérebro podemos tirar do caso de Gage e dos achados de Lozano e Agid? Esses e outros exemplos, como a perda da fala pela lesão frontal esquerda ou a perda de memória pela degeneração de áreas específicas do lobo temporal (o hipocampo), a exemplo do que acontece na doença de Alzheimer, são utilizados pela maioria dos neurocientistas para demonstrar que o cérebro cria a mente: cérebro avariado, mente comprometida.

Eccles e Van Lommel têm outro entendimento, porém. O cérebro, com suas áreas específicas, atua como interface para a consciência (a mente). Quando por alguma razão há mudanças no funcionamento dessas áreas, a interface mente-cérebro não ocorre de maneira satisfatória.

Gerald Edelman, como vimos no Capítulo 2, era resoluto defensor da teoria de que os neurônios são o que produz a mente (ou espírito). Recusava com veemência o dualismo. Para explicar a consciência, apostava todas as fichas na hipótese neuroquímica. Declarava que a base da mente é física, ainda que nossos conhecimentos sobre ela sejam fragmentários e insuficientes. Para Edelman, a consciência surgiu por meio da evolução. Cérebros primitivos, mentes rudimentares. À medida que as espécies foram se modificando, o cérebro acompanhou essa evolução e as áreas corticais ficaram progressivamente mais complexas, passando pela aquisição da linguagem e pelo desenvolvimento cortical das áreas de Broca e Wernicke[4]. Edelman reconhecia que chimpanzés e provavelmente todos os mamíferos têm uma consciência primária, mas afirmava que somente os humanos detêm a consciência complexa. Rejeitava a intervenção de fantasmas ou da física quântica e a ação a distância. Aceitava que, no estudo da consciência, não se podem ignorar os *qualia* – conjunto de experiências, sentimentos e sensações pessoais ou subjetivas que acompanham o estar consciente. Ao mesmo tempo, defrontava-se com o problema de que a experiência dos *qualia* é individual, na primeira pessoa, e não se pode estudá-la em laboratório.

Outro ferrenho detrator do dualismo é, vimos também, o filósofo americano Daniel C. Dennett. Entre outras bases, ele se apoia na crítica clássica que o inglês Gilbert Ryle desenvolveu e, sabemos, chamou de "dogma cartesiano do fantasma na máquina". Desde então, conclui Dennett, os dualistas encontram-se na defensiva. Para o autor americano, existe uma única forma de substância. Ela será sempre oriunda da física, da química e da fisiologia – e o espírito não é nada além de um fenômeno físico.[5]

A grande questão colocada aos dualistas é: como o cérebro transmitiria sua mensagem ao espírito? Como, precisamente, a informação que chegou à glândula pineal seria transmitida ao espírito? Os materialistas se apoiam na tese de que, por um princípio fundamental da física, toda mudança na trajetória de uma entidade física é uma aceleração que demanda um gasto de energia. A pergunta que os materialistas fazem é, em outros termos: de onde vem essa energia? É o princípio da conservação de energia o que explica a impossibilidade das "máquinas com movimento perpétuo" – e é aparentemente esse princípio que o dualismo viola.

Para Dennett, não há explicação possível para que toda atividade mental possa por sua vez escapar a toda mensuração física e controlar o corpo. Segundo seu entendimento, toda coisa que consegue mover uma coisa física só pode ser algo também físico.

7. Física quântica, EQM e
O livro tibetano dos mortos

ANTES DE INICIAR a redação deste capítulo, veio-me à mente a ideia de reler o ensaio *Os limites da ciência*, do biólogo britânico Peter Medawar (1915-1987)[1]. Nobel de Fisiologia-Medicina em 1960, Medawar foi inspirador e influência reconhecida de dois outros cientistas e materialistas convictos: o também britânico Richard Dawkins (1941-) e o americano Stephen Jay Gould.

Para Medawar, não há limite para o poder da ciência quando se trata de questões que, realmente, consegue elucidar. Mas, naquele seu famoso ensaio, Medawar enfatiza que a ciência não tem como responder às perguntas mais elementares, relacionadas com as coisas primeiras e últimas – por exemplo, como tudo começou? O que estamos fazendo aqui? Qual é o sentido da vida?

Se existem respostas para essas questões – algo em que Medawar afirma não ter motivos para acreditar –, devem ser transcendentais, ou seja, respostas que não surgem da experiência empírica nem necessitam ser validadas por esta. Tais respostas pertencem ao domínio dos mitos, da metafísica, da literatura imaginativa ou da religião.

Confesso que sinto um frio na barriga toda vez que releio os parágrafos de Medawar. Vão na contramão daquilo em que eu pensava acreditar no começo de meus estudos sobre EQMs. A realidade vivenciada durante uma experiência de quase morte é de interminável riqueza, e a linguagem dos homens não se aproxima da capacidade de comunicação de quem se encontra nesse estado.

A vivência das EQMs não veda o maravilhoso – ao contrário, aproxima-se dele. E isso pode não ter a aparência de ciência.

Desejo explanar as possibilidades espreitadas por cientistas que resolveram agarrar o touro pelos chifres e encarar as EQMs como possibilidade científica. Ainda assim, não vou recuar da predição de Medawar, olhando de relance para a metafísica.

Gostaria de começar pel'*O livro tibetano dos mortos*. Minha primeira leitura desse texto foi em janeiro de 1986. Confirmo-o pela anotação que fiz na primeira página. Depois de 22 anos, voltei a consultá-lo. Reli o prefácio de Carl Gustav Jung (1875-1961), que o suíço denominou "Comentário psicológico". Grifei este trecho:

> Nem o nosso conhecimento científico nem a nossa razão podem acompanhar essa ideia [hipótese da reencarnação]. Há "se" e "porém" demais em seu enfoque. Além disso, sabemos infelizmente muito pouco acerca das possibilidades da existência contínua da alma individual após a morte; tão pouco que nem sequer podemos conceber como pode alguém provar o que quer que seja a esse respeito. Sabemos, contudo, muito bem, a partir de fundamentos epistemológicos, que tal prova seria tão impossível quanto a da existência de Deus.[2]

A EQM DE JUNG

Ainda que o grande psicólogo que foi Jung teça comentários que aparentemente o afastam da metafísica contida n'*O livro tibetano dos mortos*, ele descreve na autobiografia a verdadeira EQM pela qual passou.

No início de 1940, Jung sofreu um infarto cardíaco. Teve então nítida e profunda EQM, embora o termo só viesse a ser cunhado em 1974:

> Durante a inconsciência tive delírios e visões que provavelmente começaram quando, em perigo de morte, administraram-me oxigênio e cânfora.

Experiências de quase morte (EQMs)

As imagens eram tão violentas que eu próprio concluí que estava prestes a morrer. Disse-me minha enfermeira mais tarde: "O senhor estava como que envolvido por um halo". É um fenômeno que ela observara às vezes nos agonizantes. Eu tinha atingido o limite extremo e não sei se era sonho ou êxtase. Fosse o que fosse, aconteceram coisas muitos estranhas.
Parecia-me estar muito alto no espaço cósmico. Muito ao longe, abaixo de mim, eu via o globo terrestre banhado por maravilhosa luz azul. Via também o mar, de um azul intenso, e os continentes. Justamente sob os meus pés estava o Ceilão, e na minha frente se estendia o subcontinente indiano. Meu campo visual não abarcava a Terra, mas sua forma esférica era nitidamente perceptível e seus contornos brilhavam como prata através da maravilhosa luz azul. Em certas regiões, a esfera terrestre parecia colorida ou marchetada de um verde que era escuro como prata oxidada. Bem longe, à esquerda, uma larga extensão – o deserto vermelho-alaranjado da Arábia. Era como se ali a prata tivesse tomado uma tonalidade alaranjada. Adiante o mar Vermelho e mais além, como no ângulo superior esquerdo de um mapa, pude ainda perceber uma nesga do Mediterrâneo. Meu olhar voltara-se sobretudo para essa direção, ficando o restante impreciso. Evidentemente via também os cumes nevados do Himalaia, mas cercados de brumas e nuvens. Não olhava "à direita". Sabia que estava prestes a deixar a Terra.
Mais tarde, informei-me de que distância se deveria estar da Terra para abarcar tal amplidão: cerca de 1.500 quilômetros! O espetáculo da Terra visto dessa altura foi a experiência mais feérica e maravilhosa da minha vida.
Após um momento de contemplação, eu me voltei. Postara-me, por assim dizer, dando as costas ao oceano Índico com o rosto voltado para o norte. Parecia-me agora virar em direção ao sul. Algo de novo surgiu no meu campo visual. A uma pequena distância percebi no espaço um enorme bloco de pedra, escuro como um meteorito, quase do tamanho de minha casa, talvez um pouco maior. A pedra flutuava no espaço e eu também. [...] ocorreu-me algo estranho: tudo o que tinha sido até então se afastava de mim. Tudo o que eu acreditava, desejava ou pensava, toda a fantasmagoria da existência terrestre, se desligava de mim ou me era arrancado – processo extremamente doloroso. Entretanto, alguma coisa subsistia, porque me

parecia então ter ao meu lado tudo o que vivera ou fizera, tudo o que se tinha desenrolado a minha volta. Poderia da mesma maneira dizer: estava perto de mim, e eu estava lá; tudo isso, de certa foram, me compunha. Eu era feito de minha história e tinha a certeza de que era bem eu. "Eu sou o feixe daquilo que se cumpriu e daquilo que foi."[3]

Voltando ao *Livro tibetano*: Jung, embora chamado para prefaciar essa obra tão famosa sobre a morte, o pós-morte e a reencarnação, começa justamente por falar da impossibilidade de comprovar as afirmativas do livro. Já o físico indo-americano Amit Goswami (1936-), antes de tentar uma explicação para o "inexplicável" do qual fala Jung, brinda-nos com divertidas anedotas de nossa curiosidade sobre sobrevivência após a morte física. Por exemplo, uma criança escreveu uma carta a Deus: "Querido Deus, o que acontece quando a gente morre? Não quero morrer. Só quero saber o que acontece". Outra anedota de Goswami: um aspirante zen procurou um mestre e lhe perguntou o que acontece após a morte. O mestre zen respondeu que não sabia.

— Mas você é um mestre! — protestou o aspirante.
— Mas não um mestre morto — foi a resposta.[4]

O livro tibetano dos mortos é, na verdade, um guia para orientar os moribundos. Goswami tenta uma leitura científica do texto, aproximando-o da física quântica. Enfatiza a afirmativa do atual dalai-lama: "A morte proporciona um ponto de encontro entre o budismo tibetano e as modernas tradições científicas".

Na obra, distinguem-se seis estados de consciência, denominados *bardos*. Três deles conduzem a pessoa em estados da vida, e os outros três correspondem a portais para estados do pós-morte. O primeiro bardo, por exemplo, é o nascimento. O segundo é a existência, entre a infância e a vida adulta, até o instante antes da morte, que é o terceiro bardo. É no quarto bardo que principia a jornada pela morte, o início de uma série de oportunidades para a alma que sai do corpo.

Ainda que as pessoas que passaram por uma EQM não tenham estado verdadeiramente mortas, apenas bem perto da morte, aproximaram-se do terceiro bardo, ou seja, de quando a consciência deixa o corpo e consegue assistir ao que está em volta e ouvir o que dizem. A linguagem d'*O livro tibetano* é simbólica, e as notas explicativas da edição que usamos nos permitem navegar com um pouco mais de desenvoltura. O primeiro momento daquele bardo é a visão da "Clara Luz". Aqueles que não tiveram instrução prévia suficiente não conseguem reconhecê-la de imediato. Já os indivíduos que receberam os ensinamentos práticos serão postos em confrontação com a Clara Luz Fundamental e sem nenhum Estado Intermediário: "Quando o princípio de consciência houver saído [do corpo, ele dirá a si mesmo]: 'Estou morto ou não?' E não conseguirá determiná-lo. Ele vê os familiares e circunstantes como os via antes. Ouve inclusive os lamentos".

UM POUCO DE FÍSICA QUÂNTICA

Ao aceitar o desafio de tentar conhecer até onde os conhecimentos da física quântica poderiam estar relacionados com as EQMs, fui buscar ajuda não só em Ami Goswami, mas também em Pim van Lommel[5], Erwin Schrödinger[6] e, principalmente, John Eccles, em seu famoso livro *Cérebro e consciência*. Diz Eccles:

> Espera-se que um cientista tenha conhecimento completo e profundo, em primeira mão, de alguns assuntos e, portanto, que não escreva sobre nenhum tópico no qual não seja mestre. Isso é considerado algo como *la noblesse oblige*. Para o propósito presente, peço licença para renunciar à *la noblesse*, se há alguma, e ser liberado da obrigação resultante.[7]

Eccles foi provavelmente o cientista laureado que mais tempo e energia dedicou a buscar a explicação final para aquilo em que esse australiano sempre acreditou: a interação entre a mente e o cérebro, sem o viés materialista. Contestador irredutível da hipótese materialista para explicar as relações mente-cérebro, Eccles foi enfático ao afirmar:

> Desde os anos 50, eu e Sperry [o neurobiólogo americano Roger Sperry (1913-1994), Nobel de Fisiologia-Medicina em 1981] não paramos de contestar a interpretação materialista da ciência do cérebro, mas a nossa mensagem tem sido ignorada. Os materialistas continuam a ocupar como sempre um lugar de destaque, porque acreditam piamente num sistema de crenças dogmáticas que os mantém presos a uma ortodoxia quase religiosa, como se percebe na metafísica materialista de Edelman.

O subtítulo da edição portuguesa de *Cérebro e consciência* é *O self e o cérebro*. No entanto, o título original contém um possessivo, *How the self controls its brain*, o que se traduziria "Como o *self* controla o cérebro dele". Eccles explica que aquele título não foi escolhido ao acaso.

> A hipótese segundo a qual a consciência pode efetivamente controlar o cérebro no que diz respeito à intenção e atenção abre o acesso àquilo que cada um de nós sabe desde a infância até idade adulta, isto é, o domínio do cérebro pela consciência. A vontade modifica a atividade espaciotemporal da estrutura neuronal exercendo "campos de influência" espaciotemporais, que se tornam efetivos graças à função incomparável de "detecção" do córtex cerebral em fase ativa.

Isso pode parecer misterioso, abstruso, mas, para esclarecimento, retomemos a menção que, no Capítulo 3 ("O fantasma na máquina"), fiz da estimulação magnética transcraniana (EMTC). Quando o estímulo gerado no aparelho atinge a área motora, a mão se movimenta aleatoriamente – isto é, faz um movimento involuntário estereotipado. Caso eu solicite ao paciente que movimente a mão, tentando bloquear o movimento provocado pela estimulação do córtex, ele não consegue. No entanto, sua "vontade" é capaz de movimentar a mão de forma coerente e coordenada. Ou seja: a "vontade" se manifesta no córtex como um comando. "Mova a mão" – e ela se move. Estimula-se o córtex motor com o aparelho: a mão se movimenta, sem coordenação, apenas obedecendo ao estímulo elétrico no córtex motor. Como discutido antes, esse experimento simples demonstra que:

1. Um estímulo elétrico aplicado corretamente sobre o córtex motor desencadeia um movimento na mão contralateral. Essa é a prova irrefutável de que tal área é responsável pelo movimento desencadeado.
2. A intenção do paciente de movimentar sua mão desencadeia o movimento harmônico intencional.
3. O paciente consegue movimentar intencionalmente a mão oposta (a que não está sendo estimulada) e tentar agarrar com ela e impedir o movimento da mão estimulada pelo aparelho. Esse ato não consegue inibir o movimento estereotipado da mão sob comando do aparelho.

Não há nenhuma dúvida quanto às conclusões explicitadas. A questão que permanece é como a intenção (a mente) consegue provocar o movimento. Evidentemente, o comando voluntário da mente exerce uma ação na área motora (responsável pelo movimento) e o faz de tal modo que o resultado acontece de acordo com a intenção do paciente. Como isso é possível?

Eccles declarou:

> Entrei na década de 1980, com mais de 80 anos, sem ter satisfeito a minha busca de uma vida inteira. [...] Chegou-se a um consenso geral que nos movimentos voluntários o eu consciente pode provocar acontecimentos neuronais, mas o "como" dessa operação continuava a escapar-nos.

Embora frustrado com isso, Eccles não desanimou. Em 1984, para seu contentamento, chegou-lhe às mãos o livro *The miracle of existence* [O milagre da existência], do físico quântico germano-americano Henry Margenau (1901-1995), de quem Eccles assinalou o seguinte parágrafo:

> O espírito [a mente] pode ser considerado um campo no sentido físico do termo, mas é um campo não material, e talvez o que mais se aproxima dele seja um campo de probabilidade [...] nem é necessário que contenha energia para explicar todos os fenômenos conhecidos em que o espírito [a mente] interage com o cérebro.[8]

Eccles é impiedoso com os neurocientistas e filósofos materialistas, como Crick e Koch[9], Dennett[10] e Edelman[11], que afirmam ser a consciência mero produto dos neurônios. Já com o físico matemático inglês Roger Penrose (1931-), mostra-se mais tolerante e sublinha algumas citações de *A mente nova do rei*, como esta: "A imagem de um mundo governado pelas regras da teoria clássica e quântica, tal como as entendemos atualmente, é verdadeiramente adequada à descrição do cérebro e do espírito [da mente]?"[12]

Eccles faz uma pergunta que considera fundamental: como um objeto material (um cérebro) pode efetivamente evocar a consciência? Essa é, afinal, a pergunta que me faço ao longo de todo este livro.

Penrose refaz a pergunta de Eccles:

> Como é que uma consciência, pela ação da sua vontade, influencia efetivamente o movimento das coisas materiais (aparentemente determinado pela física)? Esses são os aspectos passivos e ativos do problema espírito-corpo. Parece que temos no "espírito" (ou, antes, na "consciência") algo imaterial que, por um lado, é evocado pelo mundo material e, por outro, é também capaz de influenciá-lo.

Conclui Penrose:

> A consciência é para mim um fenômeno de tal importância que não posso acreditar que se trate apenas de uma coisa que apareceu "de forma acidental",

como resultado de um cálculo complicado. É o fenômeno através do qual a própria existência do universo é tornada conhecida. Pode argumentar-se que um universo governado por leis que não admitem a consciência não é um universo. Diria mesmo que as descrições matemáticas do universo propostas até agora devem falhar nesse critério. O fenômeno da consciência é o único capaz de dar existência efetiva a um suposto universo "teórico"!

O grande físico teórico austríaco Erwin Schrödinger (1887--1961), depois de analisar exaustivamente as afirmações de Kant sobre "a mente formar uma ideia do mundo", conclui:

[...] a experiência, como a conhecemos, indubitavelmente força a convicção de que não pode sobreviver à destruição do corpo, a cuja vida, como a conhecemos, está inseparavelmente ligada. Então, não deverá existir nada após a vida? Não. Não da maneira da experiência que conhecemos, que, necessariamente, ocorre no espaço e no tempo. Mas, numa ordem de aparência em que o tempo não desempenhe nenhum papel, essa noção de "depois" não tem significado algum. O pensamento puro não pode, é claro, oferecer-nos uma garantia de que exista esse tipo de coisa, mas pode remover os evidentes obstáculos para que o concebamos como possível. É isso o que Kant fez com sua análise, e é aí, em minha opinião, que reside a sua importância filosófica.[13]

Podem esses novos conhecimentos da física quântica nos aproximar da compreensão da consciência? Não me parece que os físicos quânticos dediquem seus preciosos momentos a refletir sobre a consciência, tema mais afeito à psicologia e à neurociência. Após a leitura das últimas publicações sobre a consciência, porém, evitar a física quântica teria sido deixar este texto desatualizado antes mesmo de ser publicado. Não me faltou ânimo para mergulhar nessa fascinante matéria. Por estar fortemente convencido de que a melhor compreensão dos principais postulados da física quântica nos ajudaria a estabelecer uma relação – quiçá uma explicação – científica aceitável para as EQMs, decidi registrar os conceitos básicos sobre essa matéria que possam interessar a uma explicação não reducionista das experiências de quase morte.

Gostaria imensamente de expressar leveza ao falar de física quântica. Tentarei fazê-lo, mas, antes de tudo, quero lembrar o alerta do físico dinamarquês Niels Bohr (1885-1962): "Se você não fica chocado com a física quântica, é porque ainda não a entendeu".

A física quântica surgiu no início do século 20, quando os cientistas quiseram mensurar o comportamento das duas partículas subatômicas então conhecidas – elétrons e prótons – e perceberam que elas não obedeciam às leis da física clássica. Vejamos como esse conhecimento pode contribuir para a interpretação das EQMs.

Um dos aspectos mais curiosos descritos pelas pessoas que viveram a experiência de quase morte, já sabemos, é a visão da própria vida, como num filme em que cada detalhe é revisto. Segundo tais depoimentos, tudo parece conectado a todo o resto. Essa interconexão pode ser comparável àquilo que, na física quântica, denomina-se *entrelaçamento ou emaranhamento quântico*. Como se assinala no livro de Van Lommel, "os acontecimentos passados parecem estocados e disponíveis quando a mente se volta para eles".

O tempo não representa absolutamente nada; tudo parece existir num eterno presente.

Tudo indica que o que vale para o tempo vale para o espaço. As pessoas que vivem uma EQM podem, desde que elas pensem ou desejem, estar em qualquer momento do passado e retornar ao presente. Assim, a mente parece conter tudo ao mesmo tempo, numa dimensão desprovida de tempo e espaço. Pode-se estabelecer uma correlação entre essas informações e a física quântica. É uma interconexão sem tempo nem espaço que se denomina *não localidade*.

Durante uma EQM, a realidade vivenciada não se parece em nada com a realidade cotidiana. Muito menos com o sonho: os pacientes negam veementemente que tudo aquilo se assemelhe a um estado onírico. "É muito mais real do que o sonho", todos referem. Além disso, vários dentre eles suscitam imagens do futuro pessoal ou coletivo. Com o passar do tempo, muitas de tais "previsões" foram confirmadas.

Essas pessoas confirmam que uma experiência não local aconteceu durante o período em que se encontravam fora do corpo, a partir do instante em que a consciência, independentemente do corpo, deu acesso imediato a qualquer lugar para onde o pensamento do indivíduo o levou. Por exemplo, após um acidente de carro, o paciente Amauri, por nós entrevistado, viu seu corpo – desacordado, lançado a mais de dez metros do veículo acidentado – ser coberto por folhas de jornal. Algum tempo depois, já refeito do acidente e de volta à sua casa, ouviu da esposa que, em sonho, ela comparecera ao mesmo ambiente que Amauri descreveu durante sua EQM. A verossimilhança com o ambiente era tal que, segundo ela, foi abordada pela mesma pessoa que recebeu seu marido naquele local, que lhe disse: "Calma, vai dar tudo certo".

A ideia que esse fato nos dá é de que, "de alguma maneira", a esposa, em sonho, teve contato com o que acontecia com o marido naquele momento, embora eles não tenham se avistado. Assim, parece possível haver uma conexão não local com a consciência de outra pessoa, da mesma forma que com os pensamentos e sentimentos de amigos e familiares mortos, e comunicar-se com eles por uma espécie de telepatia.[14]

É possível comprovar cientificamente o entrelaçamento não local da consciência?

Em 1994, na Universidade Nacional Autônoma do México, o neurofisiologista Jacobo Grinberg-Zylberbaum (1946-?) demonstrou a comunicação não local entre dois cérebros. No experimento, primeiro se correlacionaram os dois participantes, fazendo que meditassem juntos para manterem comunicação direta (sem sinal). Depois de 20 minutos, foram separados (ainda mantendo a intenção de estar unificados) e colocados em gaiolas de Faraday (tipo de câmara que impede a passagem de ondas eletromagnéticas). Cada um foi ligado a um aparelho de eletroencefalograma (EEG). Um dos participantes foi submetido a uma série de *flashes*, o que provocou uma atividade cerebral que foi registrada por seu EEG. Verificou-se então que o EEG ligado à outra pessoa registrou um potencial evocado semelhante ao do cérebro estimulado pela luz.[15]

Em 2004, a neurocientista Leanna Standish e seus colegas da Universidade de Washington (no estado americano de mesmo nome) realizaram experimento semelhante com 60 voluntários. Além de o registro eletrencefalográfico ter ocorrido simultaneamente em dois investigados afastados dez metros um do outro, os voluntários foram submetidos ao mesmo procedimento em câmaras de ressonância magnética funcional, e em vários dentre eles a simultaneidade dos registros apareceu na RMf. A experiência foi repetida com duas outras pessoas, que não haviam meditado em conjunto nem tinham intenção de se manter unificadas. O estímulo produzido numa delas não se manifestou na outra.[16]

Em correspondência recente com a professora Standish a propósito de EQMs ocorridas durante crise epilépticas, argumentei que possivelmente os desarranjos ocorridos no cérebro de pacientes com epilepsia do lobo temporal explicariam os fenômenos descritos nessas experiências, mas que o lobo temporal não poderia ser responsabilizado por aquelas ocorridas em pacientes durante parada cardíaca. Eu quis saber a opinião dela sobre a possibilidade da comunicação não local, como proposto pela física quântica nos relatos de pessoas que tiveram EQM. A resposta foi curta e objetiva:

> Penso que o entrelaçamento quântico existe tanto para objetos macroscópicos como para partículas elementares, segundo o teorema de Bell e a física experimental de 1980 em diante. A mente provavelmente não se encontra dentro do cérebro. Ela é extensa e talvez não requeira um cérebro funcional [para se manifestar].

O psiquiatra alemão Hans Berger (1873-1941), inventor do eletroencefalograma, com certeza ficaria exultante ao tomar conhecimento dessa pesquisa.

Berger levava uma vida interior à qual ninguém tinha acesso. Buscava ideias científicas ousadas e muito além de seu tempo. Uma delas se relacionava ao episódio que lhe tinha ocorrido aos 19 anos, quando cumpria o serviço militar na cavalaria.

Durante um treinamento pela manhã, sua montaria empinou e Berger caiu em frente a uma peça de artilharia em movimento, puxada por seis cavalos. Na hora teve certeza de que morreria, mas sobreviveu, ileso. Na noite daquele dia, recebeu um telegrama do pai perguntando-lhe como estava – a família morava a uns 100 quilômetros de onde Berger se encontrava, e foi a primeira e única comunicação desse tipo que ele recebeu na vida. Mais tarde, soube que a irmã mais velha – com a qual tinha enorme afinidade – havia insistido para que o pai que entrasse em contato com ele, pois um medo intenso pela segurança do irmão tinha se apossado dela pela manhã. Berger ficou convencido de que, de alguma forma, o terror que havia sentido na hora do acidente chegou à irmã. Muitos anos depois, escreveu: "Foi um caso de telepatia espontânea, em que, num momento de perigo, ao contemplar a própria morte, transmiti meus pensamentos e em que minha irmã, que era especialmente próxima a mim, atuou como receptor".[17, 18]

Depois disso, Berger ficou obcecado em entender como a energia do pensamento humano se transmitiria de uma pessoa a outra.

Embora o resultado da experiência de registro de descargas eletrencefalográficas em indivíduos separados que Grinberg-Zylberbaum realizou tenha sido muito criticado no meio científico devido ao protocolo e à metodologia empregados, outros pesquisadores em laboratórios diferentes obtiveram as mesmas correlações entre EEGs. Pesquisas semelhantes realizadas com registro de RMf colocaram em evidência uma ação não local entre os cérebros de dois indivíduos isolados, como no experimento de Standish e seus colaboradores. Utilizando estímulo por laser, uma pesquisa idealizada em 2004 por Rita Pizzi e seus colegas do Instituto de Pesquisa de Células-Tronco no laboratório médico-universitário DIBIT San Raffaele (Milão) demonstrou o fenômeno da não localidade em culturas de neurônios humanos separados.[19]

Para Goswami[20], esses experimentos indicam principalmente a não localidade da consciência quântica. O fato de essa experiência ter sido repetida em várias pesquisas atesta seu caráter científico. Nas pessoas que não tiveram a intenção de se comunicar, o resultado foi negativo. Um disparo luminoso num deles desencadeia o potencial elétrico registrado pelo aparelho de EEG no sujeito da experiência, mas não na outra pessoa. Como podemos explicar tais resultados? Se há possibilidade de comunicação de um cérebro com outro de maneira instantânea e sem a interferência de efeitos eletromagnéticos, como negar uma sutil comunicação não local entre os dois cérebros?

Segundo vários relatos de EQM, essas vivências adquirem – de início para surpresa do paciente – aquela possibilidade de conexão não local. Espontaneamente, a pessoa consegue comunicar-se fora do tempo e do espaço, capacidade que ela atribui a uma sensibilidade intuitiva aumentada. Qual deveria ser a explicação para a espécie de comunicação que alguns referem como "pressentimento", sobretudo imediatamente à morte de uma pessoa querida? No final de uma palestra sobre EQM que proferi em Santos, um jovem psicólogo me abordou para relatar o estranho fato de que, durante uma viagem à Espanha, de repente fixou o pensamento na imagem do irmão, que estava no Brasil e acabava de morrer durante um ataque cardíaco. Relatos como esse são bastante frequentes.

Outros exemplos aparentemente inexplicáveis que nos levam a pensar em certa independência da consciência diante do cérebro são os relatos de pacientes que apresentaram a chamada lucidez terminal (a qual já encontramos no capítulo anterior, ao tratar dos estudos de Bruce Greyson). Fenômeno raramente descrito na literatura médica, consiste, vimos, no fato de que pacientes terminais com doenças neurológicas ou psiquiátricas graves, como doença de Alzheimer, tumor cerebral, acidente vascular cerebral ou meningite, apresentam – dias, horas ou minutos antes da morte – uma lucidez mental surpreendente.[21]

Com certeza, a melhor compreensão desses fatos traria mais esclarecimento sobre a relação mente-cérebro. Diante deles, a pergunta que se impõe não diverge daquela que a falta de explicação para a exacerbação da consciência durante uma EQM também suscita: como alguém com o cérebro seriamente danificado – por tumor cerebral, AVC, doença de Alzheimer, meningite – pode apresentar estranha e inesperada lucidez momentos antes da morte? O exemplo histórico é representado pelas pesquisas do médico austríaco Julius Wagner-Jauregg (1857-1940). Ele observou que sintomas de desarranjo, como delírios e alucinações, diminuíam às vezes durante febre alta; essas experiências foram confirmadas por outros autores. Wagner-Jauregg então desenvolveu terapia febril para tratar os delírios de pessoas com neurossífilis; a febre era provocada pela inoculação do bacilo da malária. (Em 1927, Wagner-Jauregg recebeu por isso o Nobel de Medicina[22]. Devido aos riscos e complicações, a técnica foi posteriormente abandonada.)

Como vimos até aqui, estudos científicos parecem indicar que alguns aspectos das experiências de quase morte correspondem e são semelhantes a certos princípios de base da física quântica. Poderia a teoria quântica explicar as conexões entre consciências de seres vivos ou mesmo com os mortos? Ao mesmo tempo, poderia explicar os fenômenos não locais como a visão de cenas passadas e de acontecimentos futuros, já que, do ponto de vista das pessoas durante EQMs, o passado, o presente e o futuro podem ser vividos simultaneamente?

De acordo com a física clássica, nossa realidade objetiva é regida por princípios bem definidos. Tudo que há em nosso mundo está contido numa estrutura imutável de espaço e de tempo, com base em leis imutáveis que podem ser expressas por ideias sem ambiguidade sobre a realidade, a causalidade, a continuidade e a localidade. A física clássica se alicerça na ideia de que a realidade percebida no mundo físico é a realidade objetiva.

No entanto, quando se trata da física quântica, novos conceitos são incorporados em nosso conhecimento. Superposição, complementaridade, princípio da incerteza, entrelaçamento e não localidade, salto quântico e colapso são alguns deles. Todos são relativos ao mesmo problema: algumas observações não podem ser feitas em termos absolutos. Quando um objeto quântico não é observado, ele não tem nem localização definida no tempo e no espaço, nem nenhuma das outras propriedades fixas que a física clássica atribui aos objetos. Mas existe uma série de observações possíveis, que são denominadas ondas de probabilidade.

Vejamos o exemplo da luz. Conforme o protocolo de observação, ela se comporta ora como partícula, ora como onda, mas jamais como as duas coisas ao mesmo tempo. Esse fenômeno é denominado complementaridade: ondas e partículas são os aspectos complementares da luz. As experiências que demonstraram o fenômeno foram feitas em laboratório com a utilização de um fóton isolado. Segundo Amit Goswami, "as ondas são ondas num domínio situado fora do espaço e do tempo; quando as medimos, elas aparecem como partículas no espaço e no tempo". Dessa forma, os objetos quânticos são considerados *ondas de possibilidade*[23].

Goswami, mais uma vez, vem em nosso auxílio com sua conceituação didática. Começa por definir *quantum*. Termo usado pela primeira vez pelo físico alemão Max Planck (1858-1947), o *quantum* pode ser considerado uma partícula elementar e irredutível da matéria. Dessa forma, um fóton é um *quantum* de luz.[23]

Outro conceito fundamental, descrito por Niels Bohr, é o chamado *salto quântico*. Quando um elétron salta de uma órbita atômica para outra, ele não passa pelo espaço entre essas órbitas. Seu movimento é descontínuo.

Por fim, chegamos ao conceito de *colapso quântico*. Quando uma onda é observada, ela se transforma em partícula. A esse fenômeno dá-se o nome *colapso*.

Uma conclusão muito interessante de Goswami:

> [...] a física quântica – e todos os cientistas acreditam nela atualmente – diz que a natureza, a realidade, tem dois domínios, um dentro e outro fora do espaço e do tempo. E o domínio fora do espaço e do tempo é detectável experimentalmente. A comunicação feita nesse domínio é instantânea e sem sinal.

Ao imaginar a consciência como não local, da forma como preconizam alguns físicos quânticos, veio-me à lembrança *Solaris*, o romance de ficção científica do polonês Stanislaw Lem (1921-2006). O livro, de 1961, foi magnificamente filmado nos anos 1970 pelo russo Andrei Tarkovsky – e é uma nítida alegoria do poder da mente humana.

Um jovem psicólogo é enviado ao planeta Solaris para esclarecer uma série de estranhezas ocorridas com os tripulantes estacionados ali, inclusive a morte de um deles. Chega à nave e espanta-se com o estranho comportamento dos dois tripulantes remanescentes, que de início parecem questionar a própria existência do recém-chegado, como se ele fosse uma miragem. Depois, tentam adverti-lo das coisas esquisitas que poderiam acontecer por causa do "oceano pensante" de Solaris. O psicólogo vê o vulto de uma mulher andar pela nave. Assustado, procura barricar a porta de seu alojamento, empilhando pesadas malas para obstruir a entrada. No meio da noite, desperta com uma linda mulher deitada ao seu lado. Ninguém menos que sua mulher, a qual morreu dez anos antes. A consciência dominante no planeta, representada pelo oceano, recria, assim, objetos e pessoas da mente dos visitantes.

Tanto o livro quanto o filme poderiam alimentar os argumentos do materialismo científico. Ou seja: durante uma EQM, a visão de pessoas queridas que já morreram nada mais seria do que a criação da própria mente com base em lembranças arquivadas em cada um.

8. Relatos de EQM

VOLTAR DO AMANHÃ, livro do médico americano George Ritchie (1923-2007), é um dos relatos mais emblemáticos de uma experiência de quase morte.[1] Está, já dissemos, na origem de nosso interesse no tema, e a EQM de Ritchie foi a motivação principal de Raymond Moody para entrevistar várias pessoas que passaram pela experiência, o que deu origem a seu célebre livro *A vida depois da vida*.

Em 1943, tempos de guerra, Ritchie era estudante de medicina, prestava o serviço militar numa base nos Estados Unidos e contraiu pneumonia dupla. Os antibióticos ainda não eram de uso corrente. Após um período de febre intensa com dores violentas no peito, deram-no como morto: parada respiratória e ausência de pulso. Colocaram-no numa maca e o cobriram com um lençol. Nisso, um enfermeiro, tocado pela morte do jovem estudante, conseguiu convencer o médico de plantão a lhe aplicar uma injeção de adrenalina. Para surpresa do médico e também do enfermeiro, Ritchie, depois de ter permanecido "morto" por nove minutos, recuperou a consciência. E relatou que, durante aqueles minutos, viveu uma experiência muito intensa, da qual se lembrava em detalhe.

Com 41 graus de febre, tinha sido levado a uma sala de exames na radiologia, onde o médico solicitou que ficasse em pé numa balança. Em seguida, Ritchie perdeu a consciência e caiu. Era a última cena de que se lembrava, até que despertou num cubículo, sem entender o que havia acontecido. Procurou pela sacola militar com seus objetos pessoais, porque pensava que o exame médico havia apenas interrompido a programação de pegar um trem e viajar para sua cidade, onde deveria passar o Natal. Não achou os pertences no cubículo, onde havia espaço suficiente apenas para a maca de que acabava de se levantar. Enquanto refletia sobre o que tinha ocorrido desde que caiu na sala de exames, percebeu uma pessoa deitada naquela maca. Estranhou o fato, pensando: "Eu mesmo estava deitado aí, poucos minutos atrás, e não havia ninguém ao meu lado".

Mas, preocupado em localizar a sacola, tratou de sair do cubículo à procura de alguém. Era tarde da noite, e não se via ninguém nas salas vizinhas. De repente, um sargento veio em sua direção. Ritchie logo se animou para lhe perguntar onde estava a sacola. O sargento, entretanto, passou sem ter-lhe dado a menor atenção. Ritchie precisou até se desviar do homem, que por pouco não o atropelou. Embora tendo estranhado a conduta do sargento, prosseguiu até a saída do hospital – sempre com a firme convicção de que deveria pegar o trem para casa.

Ganhou o exterior do hospital e continuou a andar. Súbito, percebeu que caminhava numa velocidade que nunca havia experimentado antes. Em poucos momentos, deu-se conta de que voava. Mas o fazia tão próximo ao chão que chegou a duvidar do que estava acontecendo. Em seguida, notou que voava acima das casas e das árvores. "Uma cidade brilhava abaixo de mim, os semáforos piscavam nos cruzamentos. Ridículo! De toda maneira, eu me deslocava muito baixo para um avião. Um ser humano não poderia voar sem avião!" Por fim, percebeu que chegara a um vilarejo. Quase imediatamente, viu um brilho azul piscante, um letreiro de néon acima da porta de uma casa vermelha – um café – com a marca "Cerveja Pabst, faixa azul" no letreiro. Calculou que estava a dez metros do chão. E parou de avançar.

Viu um homem andar acelerado na calçada. Imaginou que, caso o interpelasse, pelo menos poderia saber onde estava e se o caminho para sua cidade era mesmo aquele. Começou a andar ao lado do cidadão. O homem tinha entre 30 e 40 anos e ia aparentemente preocupado com alguma coisa, pois não deu a mínima atenção ao novo acompanhante. Ritchie então lhe dirigiu a palavra:

— Senhor, poderia me dizer que cidade é esta?

O homem continuou a andar.

— Senhor, por favor! — Ritchie elevou a voz. — Sou de fora e gostaria...

"Será que o homem é surdo?", pensou. Até que chegaram à porta do café e o caminhante pegou na maçaneta para abrir. Nesse instante, Ritchie pôs a mão no ombro do homem, e foi como se a tivesse apoiado no ar. Nada aconteceu. Foi quando começou a refletir. Lembrou-se do sargento no hospital, que tinha passado por ele como se Ritchie não existisse. O jovem tentou apoiar-se numa cabine telefônica para pensar, e seu corpo atravessou a cabine. "Essas pessoas mudaram ou mudei eu?!", indagou-se, já em desespero. "De que adianta chegar em casa no Natal se ninguém consegue me ver nem ouvir?" Uma solidão assustadora o invadiu.

"É evidente que não estou no meu estado normal. Nenhuma dessas pessoas me viu nem me ouviu. Preciso retomar o estado sólido para que os outros me vejam e ouçam." De imediato, lembrou-se do homem deitado na maca do cubículo do hospital, de onde ele próprio tinha se levantado e saído. "E se aquele era... eu? Por que fugi de lá tão sem pensar?" Ato contínuo, moveu-se para fora do vilarejo, rumo ao ponto de onde tinha vindo. Voou sobre a copa das árvores e o telhado das casas e então, mais rápido do que tinha viajado antes, estava – como num *déjà-vu* – diante do hospital militar de onde havia saído. Entrou ali na mesma hora.

Altas horas, não havia ninguém na recepção. Pegou o corredor da esquerda, na intenção de encontrar aquele cubículo. Ritchie penava à procura de alguma pista que o levasse ao lugar onde alguém tinha estado deitado na maca. Nenhuma lembrança. Antes, de tão preocupado em sair logo dali e voltar para casa, não havia prestado atenção a nenhum detalhe, exceto que se tratava de um espaço muito pequeno, onde só cabia a maca. Pensou em alguma característica física de seu corpo que lhe permitiria reconhecer-se – uma cicatriz, uma verruga, qualquer coisa. Foi então que se lembrou do anel de ônix, com uma coruja dourada, num dedo da mão esquerda.

Num dos quartos, viu um jovem que estava deitado e cuja fisionomia o fez lembrar-se do próprio pai. Por um instante, imaginou que aquele seria seu corpo. O rapaz gemia um pouco, deitado sobre o lado esquerdo, com o braço debaixo do travesseiro. Quanto mais Ritchie olhava esse jovem, mais convencido ficava de que aquele era seu corpo físico. Ritchie tentou várias vezes puxar o travesseiro, mas seus dedos se fechavam no vazio. O rapaz deitado acabou se erguendo, apoiado no cotovelo, e tateou a mesa de cabeceira à procura de uma jarra de água. Na mão esquerda, tinha não o anel de ônix, mas uma aliança de casamento.

Indo de sala em sala, de enfermaria em enfermaria, Ritchie continuou sua busca frenética. Amanhecia. Alguns recrutas, todos na faixa dos 19 e 20 anos, estavam sentados no leito amarrando os coturnos ou deitados contemplando o teto. Nenhum se parecia com Ritchie. Saiu pelo corredor. Uma enfermeira caminhava em sua direção. Pensou em abordá-la, mas a certeza de que ela não o veria nem ouviria o fez desistir. Além disso, a ideia de que a enfermeira poderia invadir o espaço que seu próprio "corpo" ocupava era insuportável.

Depois de ter perambulado desnorteado pelo imenso hospital, acabou encontrando a sala de radiologia, para onde o haviam conduzido na maca e onde subira na balança e perdera a consciência. Sentado atrás da escrivaninha, estava o especialista de avental branco que o havia examinado – o último ser humano com quem conversara.

— Olhe para mim! — gritou Ritchie. — Estou aqui!

O homem, impassível, destampou a caneta e anotou qualquer coisa numa folha.

Desolado, Ritchie saiu da sala de radiologia e continuou sua busca. Inúmeras enfermarias e salas. Homens contemplativos, aborrecidos, amedrontados, mas nenhum com anel de ônix com coruja dourada.

Por fim, entrou numa alcova. Havia alguém no leito. O lençol recobria o corpo, deixando para fora apenas os braços, que pareciam estranhamente retos, rígidos, artificiais, com as palmas viradas para baixo. Num dedo da mão esquerda, o anel de ônix com a coruja dourada.

Ritchie se aproximou devagar, os olhos vidrados no anel. A mão era sobremaneira branca. "Isso sou eu?! Mas esse homem está morto, e eu estou aqui, consciente, mais vivo do que nunca! Como é possível?" Sentiu a mesma repugnância que já havia sentido diante de cadáveres. "Será mesmo o meu corpo debaixo do lençol?" Resolveu puxar o lençol, descobrir o corpo, identificar a fisionomia. O esforço, frenético, foi em vão.

Abruptamente, o ambiente foi se iluminando. A luz, cada vez mais intensa, o impressionou: "Por sorte não estou vendo com meus olhos naturais, pois essa luz me destruiria a vista em um décimo de segundo". A seguir, divisou um ser de luz, o qual emanava um amor profundo que o tocou na mesma hora. De repente, viu passar como num filme toda a sua vida, desde o nascimento por cesariana até a idade adulta.

Aí, com a injeção de adrenalina que o fez voltar ao próprio corpo, começaria a outra aventura vivida por George Ritchie. De início, temendo ser ridicularizado, não teve coragem de falar de sua experiência com ninguém. Terminada a guerra, concluiu o curso de medicina se especializou em psiquiatria. Com o tempo, veio a ministrar aulas e palestras a estudantes de medicina. Um deles, Raymond Moody, ficou de tal forma intrigado pelo relato de Ritchie que começou a pesquisar o que poderia passar-se com pacientes durante situações críticas, como a proximidade da morte. Em 1975, vimos, Moody publicou *A vida depois da vida*, que popularizou o termo experiência de quase morte (em inglês, *near-death experience*). Três anos depois, Ritchie enfim escreveu seu livro sobre o que lhe tinha acontecido durante aqueles nove minutos.

EQM DE PAMELA REYNOLDS

Talvez a EQM mais divulgada e discutida seja a da americana Pamela Reynolds.[2]

Em 1991, Pamela era uma mãe, cantora e compositora de 35 anos. Começou então a se queixar de estranhas sensações: vertigens intensas, dificuldade na fala e dificuldade de locomoção. O clínico geral solicitou uma tomografia computadorizada, que revelou enorme aneurisma nas proximidades do tronco cerebral. O aneurisma é a dilatação, em forma de bolsa, num ponto fragilizado de uma artéria. Se ele se rompe, as consequências são imprevisíveis: a hemorragia decorrente pode deixar sequelas para o resto da vida, ou o paciente pode mesmo ter morte imediata. Pamela foi encaminhada a um neurologista, que lhe disse que as chances de sobrevivência eram mínimas, devido ao tamanho e à localização do aneurisma. Esse médico, porém, entrou em contato com o neurocirurgião Robert Spetzler, que trabalhava no Barrow Neurological Institute, em Phoenix (Arizona).

Spetzler, apesar do prognóstico ruim, decidiu operar a paciente. Tudo o que se passou durante o procedimento foi escrupulosamente registrado. O neurocirurgião e sua equipe submeteram Pamela ao resfriamento do corpo à temperatura de, aproximadamente, dez graus Celsius. No momento do resfriamento, o coração sofre parada cardíaca, motivo pelo qual Pamela foi conectada a um aparelho coração-pulmão. No que a temperatura se aproxima daqueles dez graus, a cabeceira da mesa de operação é ligeiramente elevada, para esvaziar por completo o sangue do cérebro. Tudo necessário para o bom desempenho desse tipo de cirurgia. A hipotermia possibilita que as células cerebrais aguentem por mais de uma hora sem oxigenação, porque o metabolismo das células fica de tal forma reduzido que os neurônios conseguem sobreviver. Com Pamela conectada à máquina coração-pulmão, substituiu-se toda a atividade elétrica do coração (parada cardíaca), o que sempre ocorre em caso de hipotermia grave. No mais, todo o sangue da paciente foi drenado não só do cérebro como também do corpo.

Esse tipo de cirurgia dura mais ou menos de seis a oito horas. Procedimento de alta complexidade, pouquíssimos serviços no mundo o executam.

As atividades elétricas do córtex (EEG) e do tronco cerebral ("potenciais evocados" por sons de 100 decibéis que alto-falantes enfiados nos ouvidos de Pamela emitiam) foram constantemente registradas, mas se mostraram nulas. Numa entrevista à BBC, Spetzler explicou:

> Antes do início de uma operação, o paciente é anestesiado, os olhos são vedados com adesivos, e nos ouvidos se colocam pequenos emissores, que dão estalidos para monitorar o cérebro. Em seguida, cobre-se completamente o corpo do paciente – a única coisa que fica de fora é o lugar da cabeça onde vamos operar.

Segundo Sabom,

> O cérebro de Pamela estava sem funcionamento, como ficou confirmado por três testes clínicos: eletrencefalograma plano; nenhuma reação do tronco cerebral; e ausência de circulação sanguínea no cérebro. [...] Os olhos tinham sido lubrificados para evitar que ficassem ressecados e foram vedados com adesivos. Além disso, Pamela tinha recebido anestesia geral.

O depoimento a seguir, combinando elementos do relato escrito por Pamela no livro de Sabom com os da entrevista que ela concedeu para um documentário da BBC, foi incluído por Pim van Lommel no livro *Mort ou pas?*:

Não me lembro de sala de operações no começo. Não me lembro de ter visto o dr. Spetzler. Eu estava com um colega dele naquela hora. E depois disso... nada. Absolutamente nada. Até que houve o barulho... e o barulho era... desagradável. Gutural. Parecia-se com o que a gente ouve quando está no dentista. E me lembro de picadas no alto da cabeça, e então saí do alto da minha cabeça como se eu fosse uma rolha. Quanto mais me afastava do meu corpo, mais o som ficava claro. Lembro-me de ter visto várias coisas na sala de cirurgia quando olhei para baixo. Eu me encontrava num estado extremo de consciência, como nunca tinha estado em toda a minha vida. Então olhei do alto o corpo e percebi que era o meu. Mas isso não tinha importância. Achei muito esquisito o jeito que tinham me raspado a cabeça. Pensava que iam tosar todo o cabelo, mas não o fizeram.
Metaforicamente, eu estava sentada no ombro do dr. Spetzler. Minha visão não era uma visão normal. Era mais clara e mais nítida. Havia tantas coisas na sala de cirurgia que eu não reconhecia! Havia muita gente também. Lembro-me do instrumento que o dr. Spetzler segurava; parecia o cabo da minha escova de dentes elétrica. Eu achava que iam me abrir a cabeça com uma serra. Tinha ouvido a palavra serra, mas o que via parecia mais furadeira do que serra. Havia até umas pecinhas arrumadas numa caixa que parecia aquela onde meu pai guardava as ferramentas quando eu era pequena. Vi a serra, não vi como a usaram na minha cabeça, mas acho que ouvi que a estavam usando em alguma coisa. Aquilo zumbia numa frequência relativamente aguda. Lembro-me da máquina coração-pulmão. Eu não gostava do respirador... Lembro-me de um monte de ferramentas e instrumentos que não reconheci de imediato. E lembro muito bem uma voz de mulher, que dizia:
— *Temos um problema. As artérias dela são muito estreitas.*
E depois uma voz de homem:
— *Tente a do outro lado.*
Essa voz feminina parecia vir da outra ponta da mesa. E lembro que fiquei imaginando o que deviam estar fazendo ali [risos], pois estavam me operando o cérebro! Na realidade, estavam usando a artéria femoral para drenar o sangue, e isso eu não tinha entendido...
Senti uma "presença". Virei-me – se o termo é mesmo esse – para ver o que era. Foi então que vi o pequeno ponto de luz. Essa luz começou a me puxar

para junto dela, mas não contra a minha vontade. Eu ia de bom grado, porque queria. E a sensação física... Sei que vai parecer estranho, mas é verdade: tinha uma sensação física, como se passasse por um morro, mas bem depressa. Era como em O mágico de Oz – ser levada pela espiral de um tornado que, entretanto, não girava. Dava a impressão de que eu subia de elevador muito, muito depressa. Era como um túnel, mas não era um túnel. E eu ia para a luz. À medida que chegava mais perto, comecei a reconhecer diferentes silhuetas, diversas pessoas, e ouvi distintamente minha avó – que tinha uma voz inconfundível – me chamar. Mas não a ouvi me chamar com os meus ouvidos – era uma audição bem mais nítida. Então me dirigi para ela. A luz estava incrivelmente brilhante, como se eu estivesse sentada no meio de uma lâmpada. À medida que ia distinguindo diferentes silhuetas na luz – e todas estavam cobertas de luz; eram luz e completamente cercadas de luz –, percebi que elas começavam a tomar formas que eu conseguia reconhecer e compreender. Vi muitas – muitas – pessoas que conhecia e vi pessoas que não conhecia, mas sabia que estava conectada a elas de uma ou outra maneira. Era uma sensação... genial! Quando penso naquilo, percebo que cada um dos seres que eu via se enquadrava perfeitamente na minha compreensão do que tinham de melhor quando vivos.

Reconheci muita gente. Entre eles estavam minha avó e meu tio Gene, que morrera com apenas 39 anos. Ele me tinha ensinado muita coisa; me ensinou a tocar meu primeiro violão. E vi minha tia-avó Maggie. Do lado paterno, meu avô estava lá... Preocupavam-se muito comigo; tomavam conta de mim. Não me deixaram seguir adiante... Disseram-me – não sei como dizer isto de outro jeito, porque não falavam como lhe falo – que, se eu fosse até a luz, me aconteceria algo, fisicamente: não conseguiriam colocar de novo este eu no interior do meu corpo, como se eu tivesse ido longe demais para que conseguissem me religar. Por isso não queriam me deixar ir a lugar nenhum, nem queriam que eu fizesse nada. Eu sentia vontade de ir à luz, mas também de voltar. Tinha filhos para criar. Era como quando se olha um filme num leitor de vídeo acelerado: tem-se uma ideia geral, mas as imagens não dão tempo para que a gente perceba os pormenores... Faíscas, eis a impressão que guardo disso. Perguntei se aquela luz era Deus, e me responderam:

— *Não, a luz não é Deus; a luz é o que acontece quando Deus respira.*

E me lembro muito bem de ter pensado: "Eu me mantenho na respiração de Deus..."
Em certo momento, lembraram-me de que eu devia ir embora. [...] Mas saiba que, quanto mais eu estava lá longe, melhor eu me sentia. [Risos.] Minha avó não me trouxe de volta pelo túnel, nem me pediu para ir embora. Ela só ergueu os olhos para mim. Eu pensava em partir com ela. Foi meu tio quem me trouxe de volta para o corpo. Mas, quando cheguei aonde estava o corpo e vi esta coisa, não tive nenhuma vontade de entrar nele, porque se parecia muitíssimo com aquilo que de fato era: um corpo sem vida. Acho que estava coberto. O corpo me dava medo, e eu não queria olhar para ele. E sabia que seria doloroso; por isso, não queria entrar. Mas meu tio insistia. Ele disse:
— É como mergulhar numa piscina. Pule.
— Não.
— E os seus filhos?
— Você bem sabe que eles darão um jeito. [Risos.]
— É preciso ir, minha querida.
— Não.
Meu tio me empurrou; ele me ajudou um pouco nessa hora. Demorou, mas acho que estou pronta para lhe perdoar esse gesto. [Risos.] Vi o corpo saltar... E depois meu tio me empurrou e senti frio por dentro. Eu tinha entrado no meu corpo. Era como mergulhar numa piscina de água gelada – era doído! Quando voltei a mim, continuava sob anestesia geral. Na sala de operações, ouvia-se a canção "Hotel California", e a letra era "Você pode sair quando quiser, mas não pode ir embora". [Mais tarde] eu disse ao dr. Brown que [a música] era muito indelicada, e ele respondeu que eu precisava dormir mais um pouco. [Risos.] Quando recuperei os sentidos, ainda continuava com respiração artificial.

Pamela conclui seu relato dizendo: "Penso que a morte é uma ilusão. Penso que, na realidade, é apenas uma mentira perniciosa".
Sabom continua:

Verifiquei que o que ela havia visto durante sua saída do corpo parecia corresponder exatamente àquilo que realmente se passou. Pamela viu a serra que foi utilizada para lhe abrir a cabeça. E a serra realmente se parece com uma escova de dentes elétrica [...]. E os médicos conversaram entre si, e ela se lembrou perfeitamente do que disseram.

Nas palavras do dr. Spetzler:

Não creio que as observações que ela fez se inspiraram em alguma coisa que possa ter observado ao entrar no centro cirúrgico. Não poderia ter visto os instrumentos. Por exemplo, a furadeira. Essas coisas ficam perfeitamente escondidas. Não estão à vista; ficam dentro de caixas. Só se começa a tirá-las de lá quando os pacientes estão anestesiados, a fim de preservar o ambiente estéril. Nesse momento da intervenção, nenhum paciente consegue observar nem ouvir. E... Penso ser inconcebível que, com seus sentidos habituais, como a audição, ela tivesse como escutar alguma coisa – sem contar que estava com dispositivos sonoros dentro dos ouvidos. Sou incapaz de explicar. Ignoro como aquilo pode ter acontecido, levando-se em conta o estado fisiológico em que ela se encontrava. Ao mesmo tempo, já vi tantas coisas que não consigo explicar que não quero ter a arrogância de afirmar não haver nenhuma possibilidade de que aquilo possa acontecer.

Agora vamos recapitular o relato e acrescentar alguns pormenores. Segundo Pamela, ela saiu do corpo assim que foi anestesiada e teve o sangue completamente retirado dele (mas quando ainda não estava completamente resfriada). Observou e ouviu detalhes do que se passava na sala cirúrgica, embora estivesse não apenas sob anestesia geral, mas também com os olhos vendados e com dispositivos intra-auriculares que a impediam de escutar qualquer tipo de som. Viu os aparelhos e as pessoas presentes na sala; viu os instrumentos que serviram para lhe abrir o crânio. Durante a cirurgia, ouviu a conversa entre Spetzler e a dra. Murray, médica que se ocupava de dissecar a artéria femoral para instalar a circulação extracorpórea. Ao perceber que a femoral direita era muito fina, a médica comunicou isso a Spetzler, que recomendou dissecar a femoral esquerda. Pamela ouviu a conversa e depois a narrou fielmente, palavra por palavra.

Alguns momentos depois de ter saído do corpo, foi arrastada por uma espécie de túnel. Durante toda a EQM, apresentou lucidez extrema, reconheceu familiares mortos, comunicou-se com eles e teve um reencontro com a luz. Tudo isso transcorreu durante o período em que seu cérebro, por efeito de todo o complexo procedimento cirúrgico, não estava mais funcionando. Já perto do final da experiência, Pamela saiu de novo do corpo. Ela o viu saltar sob o efeito do choque elétrico destinado a fazer o coração tornar a bater. Isso só aconteceu quando a cirurgia enfim terminou e o corpo já estava aquecido. O frio intenso que Pamela refere na reentrada no corpo se deveu ao fato de que sua temperatura não tinha ainda voltado ao normal.

A falta de atividade sináptica no decorrer do procedimento e o fato de o relato conter uma EFC ocorrida em algum momento durante a operação fizeram que o caso de Pamela Reynolds fosse amplamente comemorado. Alguns o aclamaram como "o caso mais convincente até hoje descrito de percepção verídica durante EQM" e "o melhor exemplo que agora temos na literatura sobre EQMs para frustrar os céticos".

Em sua EFC, vimos também, a paciente conseguia ver de cima do ombro do cirurgião-chefe a sala de cirurgia e descreveu essa visão como mais brilhante, mais focada e mais clara que a normal. Pamela ofereceu três observações visuais verificáveis:

1. Disse que a maneira como lhe rasparam a cabeça foi muito peculiar: "Pensava que fossem tosar todo o cabelo, mas não o fizeram".
2. Contou que o instrumento utilizado para serrar o osso parecia uma escova de dentes elétrica, acrescentando que "havia uma ranhura na extremidade, onde alguma coisa parecia ter-se encaixado". Essa descrição pode mesmo corresponder parcialmente à verdade. A serra elétrica Midas Rex tem na extremidade uma ranhura onde o neurocirurgião pode adaptar vários tipos de broca, em geral cortantes ou diamantadas,

que perfuram o osso (trepanação). Depois de feito o orifício, deve-se usar outra serra, a fresa, cuja extremidade é alocada no orifício da trepanação e empurrada na direção em que se quer cortar o osso. Pamela nunca tinha visto uma Midas Rex antes, e até mesmo jovens neurocirurgiões ainda não habituados a usá-la podem ter dúvidas na hora de colocá-la em ação, substituir um instrumento pelo outro ou até trocar a broca a utilizar.

3. Por fim, a paciente observou que "a serra tinha lâminas intercambiáveis [...] no que parecia ser uma caixa de ferramentas". Depois apenas relatou observações auditivas – ouviu a serra óssea "fazer mais barulho" e "ser usada em alguma coisa" e, o mais notável, narrou a conversa iniciada pela dra. Murray.

No livro de Sabom, Pamela enfatiza que a EFC aconteceu logo no início da cirurgia, cinco minutos depois de seu corpo ter sido recoberto pelos campos estéreis. Viu a dra. Murray tentar canalizar sua virilha direita, ouviu a conversa entre essa médica e Spetzler, descreveu com alguma imprecisão o trépano e a caixa onde se armazenavam as várias brocas – tudo no começo da operação.

AUTOSCOPIA

Na continuação de seus estudos, Sabom traz o depoimento de uma mulher de 42 anos que, sob anestesia geral, submeteu-se a cirurgia de coluna para tratar uma hérnia de disco na região lombar. O depoimento dessa paciente:

> *Tomei uma injeção e não me lembro de ter saído do quarto, nem recordo como cheguei à sala de operação. Do que me lembro é que, durante o período em que estive na sala de cirurgia, era como se eu flutuasse perto do teto. Sem dúvida havia uma lâmpada acima do meu ombro, porque estava muito quente. Pensei comigo mesma que devia ser a iluminação da mesa de*

cirurgia ou coisa parecida. Sentia-me muito bem e estava interessadíssima no que estavam fazendo. Foi uma impressão engraçada, porque eu estava lá no alto e as outras pessoas, embaixo. A sala era verde. Uma das coisas que mais me impressionaram foi ver a distribuição dos objetos na sala. Pensava que a mesa cirúrgica ficaria paralela ao local onde estão todos os instrumentos, mas, na realidade, ficava num canto. Achei isso muito curioso... Eles estavam com seus aventais cirúrgicos. Por trás, eu conseguia vê-los operar. Estava lá como se flutuasse. Uma coisa me vem agora à mente: por que não senti nenhum mal-estar ao assistir à operação? Lembro que, num lado da mesa, notei um médico que eu não conhecia. Mais tarde soube que era o médico-chefe da neurocirurgia. Tive a impressão de que ele fazia a maior parte do trabalho cirúrgico, mais do que o dr. D. Achei incrível, pois o dr. D. era quem devia fazer a operação. Em seguida, lembro que o dr. D. lhe disse:

— É esse disco aí. Isso.

Nesse momento, desci mais para ver o que acontecia. Desci até ficar logo acima da cirurgia e fiquei surpresa ao ver que minha coluna vertebral situava-se tão profundamente nas costas e como eram espessas as partes do meu corpo que estavam afastadas e contidas por afastadores, pinças e todo tipo de coisa mais. Foi incrível perceber que a coluna era tão afundada – pensava que ela ficasse exatamente na superfície. Em seguida, vi que tinham chegado ao local da hérnia, e o disco foi retirado, acredito que com a mão esquerda do cirurgião. Achei aquilo absolutamente fantástico. Não parava de pensar: "Isto é incrível! É de tirar o fôlego!" Fiquei abismada com o jeito e a rapidez que fizeram. Justamente aí, alguém que estava na altura da minha cabeça disse qualquer coisa – não lembro as palavras exatas, porque eram muito técnicas, mas na época sabia o que elas queriam dizer. Era a respeito de parada respiratória ou coisa assim. Creio que o homem disse:

— Para, para.

E, em seguida:

— Feche.

Então começaram a tirar as pinças das minhas costas, muito depressa, e fechar a cirurgia. Eu estava sempre embaixo, bem perto da intervenção, e vi que começaram a me costurar a partir do fundo. Costuraram tão rápido que, quando chegaram em cima, havia um pedaço de pele sobrando. Estava muito chateada porque achei que tinham puxado muito o pedaço de pele. "Eu teria feito melhor que isso", pensei. Mas não acredito que teria feito melhor assim tão rápido. Naquele momento, não havia mais nada muito interessante, então flutuei de volta para o teto e saí pela porta para descer o corredor. Devia estar muito perto do teto, porque as lâmpadas brilhavam intensamente. Depois disso, não me lembro de mais nada até o instante em que acordei em outra sala, olhando para o alto.

Contatos com a enfermeira que estava na sala de cirurgia confirmaram que a pressa dos médicos em terminar a intervenção se deveu ao aparecimento de uma arritmia cardíaca, a qual o anestesista não conseguiu reverter. Quando o neurocirurgião-chefe foi visitar a paciente no quarto, ela o reconheceu como aquele que tinha feito a maior parte da cirurgia.

Esse relato da paciente é um exemplo de EFC durante procedimento cirúrgico. Trata-se do fenômeno conhecido por autoscopia, ou seja, a sensação de ver o próprio corpo de uma perspectiva separada dele. Note-se que o relato não incorporou nenhum dos outros elementos descritos nas EQMs clássicas: viagem através de túnel, visão de luz muito intensa, música, comunhão com o universo, amor profundo, reencontro com outros entes, filme da própria vida.

Em 1984, a americana Kimberly Clark, assistente médico-social graduada, publicou um caso excepcional de aparente EFC durante EQM, extremamente sugestivo de que a mente possa estar fora do corpo.[3] Sete anos antes, em abril de 1977, uma trabalhadora imigrante conhecida apenas como "Maria" foi internada na unidade de tratamento coronariano do Harborview Medical Center (Seattle) após um ataque cardíaco. Três dias depois, enquanto ainda estava hospitalizada, teve outro ataque cardíaco e foi rapidamente ressuscitada. Mais tarde naquele mesmo dia, quando Kimberly foi verificar a condição da paciente, Maria relatou uma EFC, na qual testemunhou sua ressuscitação vista de cima e observou as máquinas monitorarem seus sinais vitais. Em seguida, disse ter flutuado para fora do hospital e visto algo na área ao redor da entrada do pronto-socorro. O que Maria descreveu foi um pé esquerdo de tênis, largado no parapeito do terceiro andar do edifício, lado norte, um andar acima de onde ela estava. Maria conseguiu não só indicar o paradeiro desse objeto estranhamente situado, mas também fornecer detalhes precisos de sua aparência – o tênis era azul-escuro, estava esgarçado sobre o dedo mínimo e o cadarço estava enfiado no calcanhar. Para corroborar sua história, Maria pediu a Kimberly que procurasse o calçado.

Incapaz de ver alguma coisa fora do hospital ao nível do solo, Kimberly começou a procurar de sala em sala no andar acima do quarto de Maria, apertando com força o rosto contra as paredes de vidro para ver os parapeitos. Acabou achando o tênis num dos parapeitos, mas depois insistiria em que, de dentro do quarto, não teria conseguido ver o lado esgarçado nem o cadarço enfiado no calcanhar. Kimberly então removeu o sapato da borda e confirmou a visão de Maria.

Alguns autores saúdam esse relato como um dos mais convincentes já registrados de percepção paranormal durante EQMs. Ele pareceu demonstrar incontestavelmente a EFC de Maria, pois descrevia coisas de que a paciente só poderia saber tendo deixado temporariamente o corpo.

Para a maioria dos pesquisadores das EQMs, elas são provas incontestáveis de que a consciência pode continuar a existir depois que o cérebro já não está funcionando. No entanto, por mais surpreendentes que sejam relatos como o de Maria, devemos sempre nos lembrar de que cada caso é uma experiência individual – é um relato, enfim – e não tem como ser reproduzido em laboratório.

De mais a mais, muitos indícios da sobrevivência fora do corpo permitem contestações quando analisados com rigor.

EQM EM CEGOS

Um dos trabalhos pioneiros sobre EFCs em deficientes visuais foi realizado na Austrália por Harvey Irwin, que em 1987 perguntou a 21 cegos se tinham tido alguma experiência desse tipo. Três responderam afirmativamente.[4]

Irwin reconheceu que todos os entrevistados tinham algum tipo de visão periférica residual. Concluiu então que sua amostragem era insuficiente para demonstrar que cegos enxergam durante EFCs, sendo necessários mais estudos para pesquisar testemunhos de pessoas totalmente cegas desde o nascimento.

Em 1983, V. Krishnan argumentou que as percepções visuais relatadas por pessoas que tiveram EFC podem ter base física.[5] Como teste de sua hipótese, propôs que as EFCs de cegos de nascença deveriam ser distintas daquelas dos não cegos. O argumento leva em conta o fato de que aqueles que recuperam cirurgicamente a visão demoram algum tempo para aprender a identificar visualmente os objetos. Assim, se os mecanismos da visão dependem exclusivamente das vias visuais e do córtex cerebral, é de esperar que alguém congenitamente cego apresente dificuldades iniciais para identificar objetos numa EQM.

Em 1999, o psicólogo americano Kenneth Ring, já nosso conhecido, da Universidade de Connecticut, e sua colega Sharon Cooper publicaram uma pesquisa em que tentavam responder se cegos de nascença teriam numa EQM a mesma percepção visual de uma pessoa com visão normal naquelas circunstâncias. Caso a resposta fosse afirmativa, colocaria na defensiva a suposição quase universal de que ver implica não só aprendizado, mas também um aparelho visual intacto. Tais achados levantariam profundas questões sobre a relação mente-corpo, o papel do cérebro na visão e, ao fim e ao cabo, o verdadeiro mecanismo da visão.[6]

Ring e Cooper selecionaram 31 entre 46 cegos que se apresentaram relatando EQM. Dos 31 (20 do sexo feminino e 11 do masculino), dez eram deficientes visuais congênitos. Entre esses últimos, o caso que me pareceu mais relevante foi o de Vicki.

Vicki, de 43 anos, tivera dois episódios de EQM. O primeiro ocorreu aos 12 anos, numa apendicite com peritonite; o segundo, aos 22, logo após um acidente automobilístico.

Vicki nasceu prematura e ficou numa incubadora com oxigênio em alta concentração – o que, em meados do século 20, causou cegueira em cerca de 50 mil recém-nascidos nos Estados Unidos.

Numa entrevista inicial, Ring e Cooper perguntaram a ela:

— Você enxerga alguma coisa?

— Nada, nunca. Nunca vi luz, sombra nem coisa alguma.

— Então seus nervos ópticos foram destruídos em ambos os olhos.

— Foram, e por isso nunca fui capaz de compreender o conceito de luz.

Embora as EQMs vividas por Vicki estivessem separadas por dez anos, o conteúdo de ambas era muito semelhante, como se uma fosse a recordação da outra, com apenas algumas variações, devidas a particularidades das circunstâncias em que ocorreram. Tanto na EQM da pré-adolescência quanto na da vida adulta, Vicki relatava ter visto coisas deste mundo, embora brevemente, e tido visões transcendentais.

Ao tempo da segunda EQM, no início de 1973, Vicki era cantora eventual numa boate em Seattle. Certa noite, na hora de encerrar o trabalho, aceitou carona dos patrões. Havia tentado chamar um táxi, mas era tarde e não conseguiu. Os patrões estavam embriagados e aconteceu um sério acidente. Vicki foi lançada para fora do carro e teve vários ferimentos graves: fratura de crânio, concussão cerebral e traumatismo no pescoço, na coluna lombar e numa das pernas. Levaria cerca de um ano para conseguir voltar a ficar em pé e andar.

Relata se lembrar dos momentos imediatos antes do acidente. Em seguida, teve uma EFC e reentrou no corpo. Foi uma experiência confusa e fugaz, mas Vicki tem certeza de que estava fora do corpo físico, de que seu corpo agora era feito de luz e de que, nessa condição, vislumbrou o carro todo amassado.

Não se recorda de ter sido transportada de ambulância para o hospital. Contudo, assim que chegou à sala de emergência, ficou de novo consciente. Encontrava-se no teto da sala e viu um médico e uma mulher (que não soube definir se era também médica ou enfermeira) cuidarem dela. Ouviu a conversa dos dois, que comentavam com receio a lesão que Vicki sofrera no tímpano. Aquilo poderia deixá-la também surda. Vicki tentava desesperadamente dizer-lhes que estava bem, mas não obtinha resposta. Também estava consciente de ver abaixo o próprio corpo, que reconheceu por algumas particularidades. O que exatamente Vicki relatou ter visto? De acordo com suas informações, teve primeiro uma fraca visão de si, deitada na maca de metal, e estava segura do que via: "Aquilo era eu". Embora fosse uma cena muito rápida e confusa, a paciente mais tarde afirmou:

> *Sabia que era eu – era muito magra na época. Era bastante alta e magra. A princípio reconheci que era um corpo, mas nem sabia que era o meu. Então percebi que eu estava no teto e pensei: "É muito estranho. O que estou fazendo aqui? Bem, aquilo deve ser eu. Estou morta?" Vi esse corpo muito brevemente, mas... Sabia que era meu, porque eu não estava em mim. Eu estava longe dele. Foi muito rápido.*

Quase imediatamente depois, percebeu estar acima do teto do edifício e, por breve período, teve uma visão panorâmica dos arredores. Ficou bastante animada durante essa ascensão e se alegrou tremendamente com a liberdade de movimentos que experimentava. Também começou a ouvir música harmoniosa, requintada, sublime, semelhante ao som de sinos ao vento. Houve então uma transição quase imperceptível, quando percebeu que estava sendo sugada de cabeça através de um túnel e era puxada para cima. O túnel era escuro, mas Vicki afirma que ela continuava consciente e estava se movendo em direção à luz. Quando chegou ao fim do túnel, a música que tinha ouvido antes parecia ter-se transformado em hinos (semelhantes aos que ouvira durante a primeira EQM, em 1963). Em seguida, foi "empurrada" e encontrou-se deitada na grama. Estava rodeada de árvores e flores, e havia muitas pessoas. O lugar estava cheio de luz muito intensa, a qual era alguma coisa que se conseguia ver e sentir ao mesmo tempo. Mesmo as pessoas que viu resplandeciam.

> *Tudo lá era feito de luz. Eu mesma era feita de luz. O que a luz transmitia era amor. Havia amor por toda parte. Era como se o amor viesse da relva, dos pássaros, das árvores.*

Vicki então tomou consciência de quem eram aquelas pessoas que a recebiam com tanto carinho naquele lugar. Eram cinco. Debby e Diane, colegas na escola de deficientes visuais de Vicki, haviam morrido anos antes, respectivamente aos 11 e 6 anos. Em vida, ambas tinham tido cegueira e retardo severo, mas ali aparentavam ser brilhantes, bonitas, saudáveis e muito vivas. Não eram mais crianças. Vicki viu ainda seus cuidadores durante a infância, o sr. e a sra. Zilk, que também haviam morrido. Por fim, um pouco mais atrás, surgiu a avó, que cuidara dela quando criança. Nesse encontro não houve palavras, apenas o sentimento de amor e bem-estar.

> *Eu tinha um sentimento de saber tudo, conhecer tudo… – parecia que tudo fazia sentido. Sabia que esse lugar era onde encontraria todas as respostas para todas as perguntas: os planetas, Deus, tudo.*

Nisto, foi mesmo inundada de informações sobre religião, ciência, matemática.

> *Não sei nada sobre matemática e ciência. Subitamente, compreendi intuitivamente quase tudo a respeito de cálculos, de como os planetas foram feitos. Antes não sabia nada sobre isso, mas, naquele momento, não havia nada que eu não soubesse.*

À medida que isso se desenrolava, surgiu, agora bem próximo a Vicki, uma figura cujo brilho era tão intenso que não se podia comparar ao de nenhuma das pessoas que havia encontrado. De imediato reconheceu Jesus (ela O tinha visto antes, na EQM de 1963). Ele a saudou com ternura, e Vicki expressou toda a sua empolgação e alegria por tê-lo reencontrado.

Telepaticamente, Jesus comunicou-se com ela:

— Isto não é maravilhoso? Todas as coisas aqui são belas e têm sentido, você verá. Mas não pode ficar agora. Não é sua hora de vir para cá, e você precisa voltar.

Vicki, extremamente desapontada, protestou com veemência:

— Não, quero ficar com você!

Ele, então, reafirmou que ela retornaria, mas não naquele momento. Vicki tinha de voltar para o mundo, aprender mais e ensinar sobre o amor e o perdão.

Ainda relutante, Vicki compreendeu que necessitava voltar também para ter os filhos. Ela, que queria "desesperadamente tê-los" (desde então, deu à luz três vezes), enfim consentiu com o retorno.

Antes de Vicki voltar, o ser lhe disse:

— Assista a isto.

E Vicki viu todos os acontecimentos de sua vida desde o nascimento. Nessa revisão panorâmica, o ser gentilmente fez comentários para ajudá-la a compreender o significado de tudo aquilo, as ações e repercussões.

Depois disso, a última coisa de que Vicki se lembra são estas palavras:

— Você deve nos deixar agora.

Ela então vivenciou "um estrondo horroroso", parecendo uma montanha-russa em marcha à ré, e encontrou-se de novo em seu corpo, sentindo-se pesada e cheia de dor.

Durante as várias entrevistas ao grupo de pesquisadores, Vicki assim se referiu a suas EQMs:

Essas duas experiências foram os únicos momentos em que posso relatar ter visto e entendido o que era a luz, porque a vivenciei.

Quando perguntaram qual fora sua reação ao se perceber capaz de enxergar pela primeira vez, na EQM de 1963, respondeu:

Tive um momento verdadeiramente difícil com isso, porque nunca tinha experimentado nada parecido. Era algo muito estranho para mim. Como posso colocar isso em palavras? Era como ouvir palavras, não ser capaz de compreendê-las, mas saber que eram palavras sem antes nunca ter ouvido nada. Mas era algo novo, algo que não tive oportunidade de entender antes. [...] Levei um susto. Estava totalmente aterrorizada. Ou seja, não consigo nem mesmo descrever.

Passado o susto e até mesmo o terror, concluiu: "Bem, isto é melhor do que eu poderia ter imaginado". Curioso: acabou afirmando que aquilo não tinha sido absurdamente importante:

— Qual é o grau de importância que você atribui a ter adquirido a visão durante sua EQM, na comparação com outros aspectos da experiência?
— Não muito grande.
— Então, não foi grande coisa?
— Não. Foi difícil me ajustar, e, nesse sentido, foi uma coisa boa. Mas foi assustador no começo. Então gostei, e foi legalzinho. Tinha dificuldade para relacionar as coisas umas com as outras – o que estava vendo e percebendo versus *as coisas que tinha tocado e conhecido durante toda a minha vida. Mas muitas pessoas se surpreendem quando digo que haver enxergado teve pouco impacto em mim do jeito que aconteceu.*

Os comentários sobre a confusão inicial quando deficientes visuais enxergam pessoas e objetos pela primeira vez não chegam a surpreender.[7] Autores familiarizados com o trabalho que tem sido feito com pessoas cuja visão foi cirurgicamente restaurada ou instalada são unânimes em afirmar que, com frequência, tais pacientes falam das dificuldades associadas à aprendizagem de ver. Muitos têm até procurado maneiras de recusar a "dádiva" que a intervenção médica lhes concedeu. Em *Um antropólogo em Marte*, Oliver Sacks conta a história de Virgil, de 50 anos, que era praticamente cego desde a mais tenra infância e voltou a enxergar após uma cirurgia de catarata. Quando lhe retiraram a bandagem dos olhos, ele não tinha a mínima ideia do que estava vendo. Segundo suas palavras, "havia luz, movimento e cor, tudo misturado, sem sentido, um borrão". Nesse instante, Virgil se deu conta de que aquele caos de luz e sombra era um rosto – na realidade, o rosto de seu cirurgião.[8]

A experiência de Virgil não foi diferente da de um paciente descrito pelo psicólogo britânico Richard Gregory (1923-2010) e citado por Sacks no mesmo livro. S. B. ficou cego na infância e recebeu transplante de córnea quando já tinha mais de 50 anos. Sua primeira experiência visual foi também o rosto do cirurgião.

> Ouviu uma voz que lhe chegava da frente e de um lado. Virou-se para a fonte do som e viu um borrão. Percebeu que devia ser um rosto. Após lhe terem feito uma série cuidadosa de perguntas, viu-se que ele parecia pensar que não teria sabido que aquilo era um rosto se não tivesse anteriormente ouvido a voz e sabido que as vozes vinham dos rostos.[9]

Para os médicos americanos Jeffrey Long e Paul Perry, a visão dos cegos em EQM não pode ser atribuída a uma reação química do cérebro aparentemente desativado. Segundo eles, está aí uma das provas de que há vida depois da morte.[10]

Alguns pesquisadores dessa condição aparentemente desconcertante afirmam que existem porções do cérebro, originárias do tronco cerebral, que transmitem informações visuais para áreas corticais fora do córtex visual. Outros sugerem que a visão às cegas se deve a áreas ativas remanescentes no córtex visual destruído. No entanto, todos os pacientes que tiveram EQMs quando cegos referiram "enxergar" perfeitamente tudo o que se passava ao redor e ter "consciência" de estar vendo o ambiente que os envolvia. Portanto, não pode haver nenhuma relação entre o fenômeno clínico descrito da visão cega e o fato de cegos referirem, durante suas EQMs, que viram o que estava em volta.

EQM E CRISES CONVULSIVAS

A literatura neurológica descreve vários casos semelhantes à EQM que ocorreram durante crises epilépticas. Selecionei alguns relatos de pessoas que entrevistamos, mais o célebre caso do americano Eben Alexander III.

MARCIO
Marcio tinha 30 anos e seu esporte favorito era a caça submarina. Numa temporada no exterior, havia adquirido o hábito de fumar. Durante um ensolarado final de semana, saiu num bote com os amigos e um irmão para a caça em apneia (ou seja, sem usar cilindro de oxigênio, apenas retendo o fôlego) nas proximidades de uma ilha já afastada da costa. Sabedor do precário preparo físico em que estava (longe do exigido para aquela profundidade de mergulho), hesitou antes de entrar na água. Mas, como os companheiros já estavam mergulhando, resolveu aventurar-se a meia profundidade.

Não teve nenhum problema com os mergulhos iniciais. Depois de um deles, voltou à superfície para oxigenação e, em seguida, tentou um mergulho mais profundo, a cerca de 20 metros. Estava absolutamente confiante e, naquela profundidade, conseguiu arpoar um peixe grande. A linha, porém, ficou retida sob uma rocha. Marcio então decidiu emergir para adquirir mais oxigênio. Voltava tranquilo para a superfície, com nenhum receio de ficar sem oxigênio, convencido mesmo de que havia reserva nos pulmões. A três ou quatro metros da superfície, perdeu a consciência.

De imediato, viu-se numa campina iluminada, onde a relva balançava com uma brisa leve, muito agradável. Havia uma espécie de chamamento ou convite, não em palavras, mas em sentimentos, como se Marcio devesse seguir por aquela relva, rumo a uma luz distante e acolhedora. Não ouviu ruídos nem vozes. Tampouco viu pessoas, conhecidas ou desconhecidas, ainda que os chamamentos lembrassem conhecidos. Em algum momento relutou em continuar a jornada, retrocedeu e despertou no bote.

O que lhe tinha acontecido? O irmão, que flutuava a aproximadamente 20 metros de Marcio e se preparava para um novo mergulho, viu-o a uns quatro ou cinco metros da superfície, inerte, e compreendeu que algo havia ocorrido. Na mesma hora, desfez-se dos apetrechos de pesca e mergulhou em direção a Marcio. Conseguiu trazê-lo à tona e o reanimaram no bote com massagens cardíacas e respiração boca a boca.

Na entrevista de Marcio, há dois aspectos interessantes: ele relata que, no momento da perda de consciência, sentiu uma espécie de abalo muscular (o que só pode ter sido informação recebida do irmão, pois Marcio estava inconsciente); e que, durante o período em que esteve desacordado, teve o intestino solto e evacuou. Em retrospecto, tudo indica que o que verdadeiramente aconteceu foi uma perda de consciência durante crise convulsiva. Marcio, portanto, teve sua EQM durante uma convulsão.

RAFAEL

Rafael é um jovem ator que, aos 17 anos, foi acometido de febre intensa. A princípio diagnosticada como pneumonia, tratava-se, na verdade, de miocardite – grave infecção no coração. Levado às pressas para um hospital, teve parada cardíaca, da qual se recuperou de modo precário. Em seguida, uma ambulância o levou para um hospital especializado em atendimentos cardiológicos. Assim que deu entrada, teve nova parada cardíaca durante uma crise convulsiva. A terceira parada ocorreu quando iniciava o cateterismo cardíaco.

Nesses três episódios, viveu experiências inexplicáveis. Num deles, uma menina de aproximadamente 3 anos entrou em seu quarto perguntando se na TV dele pegava Cartoon Network. Rafael respondeu que sim, e ela lhe pediu emprestado o controle remoto, ao que ele acedeu na hora. Em seguida, perguntou à menina:

— O que você está fazendo aqui?

— Nasci com um problema no coração. Por isso estou aqui desde sempre.

Rafael lhe desejou melhoras, e ela retribuiu os votos e saiu do quarto. No mesmo dia, Rafael perguntou às enfermeiras onde estava a menina. Elas se entreolharam, assustadas, e lhe contaram que havia mesmo uma menina no quarto contíguo, mas que esta morrera havia dois dias. Nascida no hospital com grave problema cardíaco, permanecera ali até a morte.

Além dessa estranha visão confirmada pelas enfermeiras, Rafael refere que, durante uma das paradas cardíacas, foi transportado para um local onde a cor predominante era um azul intenso, "quase branco de tão azul". Sentia-se como se estivesse mergulhado numa espécie de piscina, mas nega que aquele ambiente fosse constituído de água. Ao mesmo tempo, ouvia uma voz que o confortava e lhe pedia calma e tranquilidade. Ele, porém, se recusava a repousar, com receio de deixar o pai ainda mais apavorado. Via o pai em desespero e tentava permanecer desperto. Em nenhum momento viu o próprio corpo e afirma que, durante esse coma, sua visão, audição e percepção ambiental estavam enormemente ampliadas, muito embora Rafael tenha miopia avançada. Em determinado momento, sentiu que poderia sair do corpo e flutuar – era apenas questão de querer. Referiu ainda um odor de flores muito intenso.

A crise convulsiva, vimos, tinha ocorrido na segunda parada cardíaca, ao sair da ambulância para dar entrada no hospital cardiológico. Rafael recuperou-se por completo, teve alta hospitalar e sentia-se de todo curado, mas, alguns meses depois, desenvolveu sintomas que ele mesmo chamou de estresse pós-traumático e pânico, os quais foram tratados com medicamentos.

Por fim, dez anos depois de ter tido aquelas paradas cardíacas, viveu uma experiência que considerou "sobrenatural". Abrindo uma caixa com pertences seus que ficara abandonada durante muitos anos, deparou com uma carta fechada e endereçada a ele. Tinha sido escrita nove anos antes, cerca de um ano depois de sua internação. Rafael havia recebido a carta na época, mas agora nem se lembrava mais dela. Ao ver que era da avó, falecida havia um ano, foi tomado de intensa emoção; o couro cabeludo esquentou abruptamente no alto da cabeça, outra sensação lhe tomou o corpo todo e Rafael chorou. Ainda com a carta nas mãos, olhou para o lado e viu o pé de um vulto. O olhar de Rafael acompanhou o vulto dos pés à cabeça e deparou com o rosto da avó, que apoiou a mão sobre sua cabeça e lhe disse:

— Abra a carta. Escrevi para você, e você ainda não a leu.

Trêmulo de emoção, aos prantos, abriu e leu a carta. Era uma mensagem de força, garantindo que ele superaria tudo pelo qual tinha passado. Quando terminou de ler, o vulto já não se encontrava a seu lado. A sensação que teve nesse momento foi muito semelhante àquela de sua EQM no hospital, dez anos antes. A visão de Rafael se tornou mais penetrante, e ele tinha a impressão de que enxergaria 360 graus. Tudo isso se passou em alguns segundos.

LUIZ ALBA

Luiz tinha 19 anos quando, no trabalho, sentiu dor intensa na nuca. A seguir, percebeu perda de força na metade esquerda do corpo. Foi levado às pressas para o hospital, onde diagnosticaram acidente vascular cerebral (AVC). Depois o internaram na UTI, onde teve crise convulsiva seguida de parada cardiorrespiratória. Imediatamente se viu fora do próprio corpo, num canto da UTI. Presenciou toda a sua reanimação. Testemunhou quando retiraram a mãe do quarto, viu uma enfermeira praticamente subir no leito e lhe fazer massagem cardíaca e assistiu à própria convulsão. De repente, surgiu uma luz muito brilhante perto de Luiz, e ele foi então arrastado em grande velocidade para um local desconhecido, de infinita beleza. Sua consciência se expandiu, de tal forma que não achava palavras para descrever o fenômeno e sentia uma espécie de comunhão com tudo o que o rodeava – uma comunhão com o universo. Nesse local havia a silhueta de uma pessoa, de quem não conseguia ver o rosto, mas que ele tinha a sensação de conhecer. Era a avó materna, falecida 15 anos antes do nascimento de Luiz. Ela o confortou e explicou que ali era o verdadeiro lugar de Luiz, mas que ele deveria retornar ao mundo. Conduzido de volta à UTI, teve uma sensação negativa ao ver o próprio corpo estendido no leito. Despertou ali, sentindo dores pelo corpo todo e não conseguindo falar. Estava consciente, porém, e reconhecia as pessoas que o rodeavam.

GEISA

Geisa sofreu um pequeno trauma de crânio quando o filho menor fechou inadvertidamente a porta do carro, batendo-a na cabeça da mãe. Caiu ao solo, desacordada. Nessa condição, foi levada a um pronto-socorro, onde teve convulsão. Foi medicada, mas era uma cidade do interior com poucos recursos e recomendaram que ela se dirigisse a um centro maior. Foram quase cinco horas de viagem, e Geisa apresentou várias convulsões nesse percurso. Durante as crises, teve a nítida sensação de estar fora do corpo. Geisa, em pé ao lado da cama em que se encontrava numa unidade semi-intensiva, via não só o próprio corpo, mas também familiares e amigos já falecidos, entre eles o avô paterno. Em algum momento da EQM, foi conduzida a uma espécie de campina ou gramado, onde havia inúmeros "seres", que não considerou terem "aparência de humanos". Foi colocada numa redoma transparente, "para se purificar", até mais tarde ser resgatada.

ELZA

Em entrevista concedida por Skype da Alemanha, onde mora hoje, Elza conta que tinha 14 anos quando, numa tarde calorenta, teve sonolência súbita e fadiga muscular, o que a obrigou a se deitar durante o dia. Em seguida, adormeceu e teve um sonho. Nele, saiu do corpo e caminhou por um longo corredor, ao fundo do qual havia uma luz muito brilhante. Elza viu uma mulher que se aproximou e a pegou pela mão, para levá-la em direção à luz. Nesse momento pensou na mãe, com quem tinha grande afinidade. Teve a impressão de vê-la junto com a irmã, as duas parecendo em desespero. Raciocinou que não poderia continuar naquele estado, fora do corpo, caminhando para a luz. Então, de modo instantâneo, abrupto e muito desagradável, voltou ao próprio corpo, com uma sensação de enorme desconforto e um choro intenso e irrefreável. Acabava de ter uma crise convulsiva. Foi o primeiro ataque epiléptico que sofreu. Depois disso aconteceram outros, nem sempre com EFC.

EBEN ALEXANDER III
O neurocirurgião americano Eben Alexander III já deu aulas e palestras em renomadas faculdades de medicina de seu país. Em 2008, tinha perto de 55 anos e trabalhava no Lynchburg General Hospital (Virgínia) quando foi subitamente acometido de intensa dor de cabeça. De início pensou tratar-se de virose, mas as dores persistiram até que apresentou convulsão enquanto descansava na cama, em casa. Levado ao hospital de ambulância, teve várias outras convulsões antes que o diagnóstico fosse enfim estabelecido. Era uma forma rara de meningite, provocada por uma bactéria, a *Escherichia coli*, que só excepcionalmente consegue infectar o sistema nervoso de adultos. Nenhum dos antibióticos comumente utilizados nesses casos surtiu efeito. Eben permaneceu desacordado, em coma e ventilação mecânica, durante sete dias. As punções na região lombar para retirada de líquido espinhal mostravam uma coleção de pus que, concluía-se, revestia todo o seu córtex cerebral. Os exames de ressonância magnética de crânio revelaram essa espessa camada de pus que recobria o cérebro. Todas as tentativas de esclarecer como tinha ocorrido a

contaminação resultaram negativas. Milagrosamente, Eben, contrariando a opinião de todos os profissionais que cuidavam dele, sobreviveu sem sequelas.[11] Poucas pessoas não sucumbem a um ataque cerebral daquela bactéria.

A história de Eben Alexander poderia terminar como apenas um caso clínico raro e bem-sucedido. No entanto, o mais surpreendente foi a história que ele contou sobre a experiência vivida enquanto estava em coma. Apesar de rica em detalhes surpreendentes, ela não difere muito das EQMs de pessoas que entrevistei ou de que tomei conhecimento em tantas publicações diversas. Apenas um detalhe da experiência chama a atenção quando comparado aos demais relatos: de início, Eben se viu numa espécie de atoleiro, praticamente imobilizado, e, embora mantivesse a individualidade, não há referência ao corpo, não se lembrava da própria história, não tinha vínculos afetivos com os familiares. Estava numa espécie de prisão gelatinosa que ele denominou "do ponto de vista da minhoca" e só depois foi conduzido a um mundo de cores magníficas, repleto de vegetação e de borboletas que voavam e coloriam o espaço.

Quando plenamente recuperado, refletiu sobre a experiência vivida enquanto estava em coma. Leu bastante sobre experiências de quase morte e estranhou que o pai – com quem tinha profunda afinidade e falecera quatro anos antes – não tivesse vindo recebê-lo durante sua EQM. Na maioria dos relatos, uma pessoa querida já falecida recebe o paciente, o acompanha e o orienta no retorno ao corpo. Já no relato de Eben Alexander, apenas uma jovem desconhecida o recebeu e encorajou em sua caminhada. Uma moça linda que irradiava amor intenso.

Eben era filho adotivo e, até a meia-idade, não conhecia os pais biológicos, apesar de inúmeras tentativas para reencontrá--los. Estimulado pelos próprios filhos e pela mulher, voltou a tentar o contato. Por fim conseguiu, em 2007, ano anterior à sua EQM. Quando recém-nascido, Eben fora dado para adoção. Os pais eram muito novos, não eram casados e não tinham como sustentar o bebê. Depois, o casal se reencontrou. Casaram-se e tiveram mais três filhos – um menino e duas meninas. A mais nova, Betsy, morreu jovem. Os irmãos a descreviam como muito carinhosa e bondosa.

Quatro meses depois que saiu do hospital, Eben recebeu uma carta da irmã biológica sobrevivente. Trazia anexa a foto de Betsy, que ele não havia ainda visto. Eben não teve dúvidas: era a moça de belíssimos olhos azuis que o recebera e acompanhara durante a EQM.

Todos esses pacientes tiveram suas EQMs concomitantemente a convulsões ou imediatamente após. Qual é a explicação científica (se é que há alguma) para a ocorrência de EQM durante ataque epiléptico? A análise dos relatos científicos costuma situar no lobo temporal a área onde a descarga elétrica anormal tem início. O lobo temporal e estruturas relacionadas apresentam circuitos neuronais intimamente associados a estados emocionais. Juan C. Saavedra-Aguilar e Juan S. Gómez-Jeria, professores da Faculdade de Medicina da Universidade do Chile, propuseram um modelo neurobiológico para explicar as EQMs com base na neurofisiologia do lobo temporal e das áreas límbicas[12].

De minha parte, embora em quatro décadas tenha visto e examinado centenas de pacientes com epilepsia do lobo temporal, jamais encontrei um único cujas crises se assemelhassem às EQMs. Nos últimos anos, porém, ao entrevistar pessoas que tiveram experiência de quase morte, identifiquei os casos, mencionados anteriormente, cujas EQMs aconteceram durante ataques epilépticos.

Aqui, como em outras situações referentes a EQMs, caberia uma dúvida pertinente: existiria a possibilidade de esses relatos terem sido, mesmo inadvertidamente, alterados algum tempo depois que ocorreram? Para testar a confiabilidade deles, Greyson administrou sua escala de EQM – uma medida quantitativa, como vimos – aos mesmos indivíduos em duas ocasiões, com intervalo de aproximadamente 20 anos: no início da década de 1980 e em 2000.

Não encontrou indícios de que pessoas que passam por EQM "embelezam" ou "romantizam" seus relatos com o decorrer do tempo. Os resultados mostraram justamente o contrário: não se verificou nenhuma diferença estatística significativa entre as pontuações da escala de EQM nos dois momentos de aplicação. Essa indicação de que os relatos do fenômeno são confiáveis ao longo de um período de duas décadas sustenta a validade dos estudos em que a experiência ocorreu em anos anteriores à investigação.[13]

Ainda que o modelo sugerido por Saavedra-Aguilar e Gómez-Jeria e baseado na fusão de aspectos psicológicos e neurofisiológicos tenha algum sentido, uma ilusão ou mesmo alucinação que eventualmente surja durante uma crise epiléptica oriunda do lobo temporal (especificamente no sistema límbico) não pode ser comparada às descrições das pessoas que tiveram EQM. De outra parte, muitos indivíduos apresentam experiências sem estar em situação de quase morte, como ocorre durante meditação, descanso e ausência total de estresse. Outros autores também contestam o modelo neurobiológico dos acadêmicos chilenos. Greyson afirma que tal modelo comete "erro fundamental em presumir que, como certos fenômenos percebidos são semelhantes, eles têm a mesma causa subjacente. Semelhanças fenomenológicas são abundantes na natureza, sem necessariamente se deverem a uma única causa".

O romancista russo Fiódor Dostoiévski (1821-1881), muito antes dos neurologistas, descreveu o que anos depois denominariam aura em êxtase: a experiência vívida e transcendental que precede em minutos o ataque epiléptico. Era um instante de felicidade e beatitude que o príncipe Míchkin, protagonista de *O idiota*, daria a vida para reviver[14]. Ainda voltaremos a ele.

NO CAMPO DE BATALHA

Entre os casos de autoscopia descritos por Michael Sabom, destaca-se o de um soldado americano que, no Vietnã, ficou gravemente ferido e foi considerado morto e enviado para embalsamamento. Alguns trechos do que esse homem relatou a Sabom:

Era 6 de junho de 1966, aproximadamente cinco da manhã. Víamos muito bem os vietcongues na linha das árvores. Devíamos estar a uns 100 metros deles. Do nosso lado, deviam ser 35 homens naquele momento. Os vietcongues começaram a atirar com morteiros e metralhadoras. [...] Tremendo, tentei pular para trás, mas o projétil explodiu. Lembro que, naquele momento, o choque me jogou para a frente e para trás. Mal eu havia tocado o chão e conseguido sacudir a cabeça quando um tiro de morteiro explodiu atrás de mim e me fez dar uma cambalhota para a frente. É tudo o que lembro, até voltar a mim uma ou duas horas depois. Eu via os vietcongues. Via o cara que me tirava as botas. Via os outros, via tudo em volta, via quem pegava diferentes coisas. Pegavam os anéis e alianças. Via como estou vendo agora. Eu me via também – era como se estivesse vendo um manequim estirado lá. Via meu rosto e meu braço. Estava muito queimado, e o lugar estava coberto de sangue. Vi um [fuzil] M14 a mais ou menos um metro, 1,20 metro de mim, e tentei pegá-lo, mas não consegui fazer nem um único movimento. Era como se estivesse num sonho muito profundo. Quando o vietcongue me tirou as botas, vi a cena toda e, ao mesmo tempo, era como se estivesse esperando que o cara terminasse para que eu pudesse pegar o fuzil quando sua atenção se desviasse, mas não conseguia mexer o corpo. Simplesmente, não conseguia que aquele arremedo de corpo pegasse a arma. Era como se eu fosse um espectador, como se tudo estivesse acontecendo a um outro qualquer. Eram aproximadamente três ou quatro da tarde quando nossas tropas chegaram. Eu os via e ouvia. Era evidente que eu estava meio embotado, totalmente queimado. Todas as minhas roupas estavam queimadas. Parecia estar morto... Me colocaram num saco e fomos empilhados num reboque. Se eu tivesse reencontrado depois [os soldados que me recolheram], teria conseguido reconhecê-los. Fomos transferidos para um caminhão e depois levados para o necrotério. Lá, começou o procedimento de conservação dos cadáveres [para o traslado para os Estados Unidos]. Lembro que estava sobre uma mesa e que um soldado contava piadas sobre as showgirls *que vinham se apresentar para o Exército. Tudo o que eu vestia naquele momento era minha cueca, encharcada de sangue. [Vi] como o soldado a arrancou. Depois soltou minha perna e a abriu [na virilha esquerda, para identificar a artéria femoral e injetar o líquido de embalsamamento]. Começou a fazer a incisão e, nesse instante, parou de rir. Simplesmente estranhou que estivesse saindo tanto sangue. Então procurou meu pulso e verificou que havia batimentos – vi isso claramente, como se se tratasse de uma terceira pessoa. Ele checou o pulso, mas, como não tinha certeza, chamou alguém para verificar. De todo modo, já tinha interrompido a incisão. Pouco depois, perdi o fio dos acontecimentos. Aparentemente me levaram para outra sala e amputaram minha mão. Alguns minutos depois da cirurgia, acordei com o capelão me dizendo que tudo ia correr bem. Eu não estava mais assistindo à cena. Agora fazia parte dela.*

Quando Sabom ouviu essa história, não tinha certeza de que tudo o que o homem havia descrito era mesmo verdade. Ponderou que pelo menos parte do relato tinha testemunho físico: o entrevistado portava prótese no braço direito. Mas o transporte dentro de um saco para o local de embalsamamento ainda perturbava Sabom. Solicitou então ao homem que lhe mostrasse a virilha esquerda. Ele não se fez de rogado: tirou as calças e mostrou a região. Na altura da artéria femoral esquerda, havia um corte muito bem cicatrizado, como se fosse a assinatura do embalsamador.

NAS TENTATIVAS DE SUICÍDIO

A frequência de EQM durante tentativas de suicídio varia entre os diversos estudos. Greyson analisou 61 pessoas que tentaram suicídio, e 16 delas (26%) tiveram experiência de quase morte.[15] Ring e Franklin entrevistaram 36 indivíduos que tentaram suicídio, dos quais 17 (47%) relataram EQM.[16] Para Van Lommel, cerca de 20% das tentativas de suicídio resultam em EQM.[17]

A ocorrência de EQM durante tentativa de suicídio pode ter profundo impacto na vida da pessoa, o que é por vezes positivo em pacientes cronicamente depressivos. De certa forma, a experiência lhes ensina que tentar extinguir a própria vida não resolve nenhum dos problemas de que tentaram escapar. Simplesmente carregam esses problemas com eles e, uma vez privados do corpo, percebem ser muito mais difícil achar soluções.

Um dado curioso: em geral, as pessoas que tiveram EQM durante tentativa de suicídio referem ter-se sentido acolhidas e amadas. Para algumas, entretanto, a experiência foi negativa. Uma de nossas entrevistadas, por exemplo, relatou angústia profunda e visões desagradáveis.

De todo modo, segundo estudos recentes, é extremamente raro que, após uma tentativa de suicídio com EQM, aconteçam outras. Greyson advoga que clínicas psiquiátricas expliquem aos pacientes gravemente depressivos e potencialmente capazes de suicídio a possibilidade de ocorrer uma EQM. Para aquele autor, os relatos podem ter efeito terapêutico positivo também sobre esses pacientes.[18]

DUPLA AUTOSCOPIA

Um de nossos entrevistados trouxe um relato de dupla autoscopia.

Amauri tinha 33 anos e estava dirigindo na estrada quando colidiu de frente com um veículo. Era meio-dia. Ambos vinham em grande velocidade. Amauri foi lançado pela janela do carro a mais de dez metros. Sua última lembrança no corpo físico foi justamente esse arremesso para fora. Rolou pelo chão, a camisa ficou toda rasgada, ele sofreu contusão no tórax e permaneceu desacordado durante quase cinco horas.

Logo após o acidente, viu-se fora do corpo, sentado ao lado de si, "como se estivesse vigiando o cadáver". Ao mesmo tempo, via-se em pé a poucos passos do corpo e do eu que estava sentado ao lado. Assistiu à chegada de socorristas, percebeu que alguém disse para deixá-lo de lado porque "não havia mais nada a fazer" por ele e os outros acidentados necessitavam de socorro. Viu chegarem curiosos, e acompanhou a cena em que colocaram folhas de jornal sobre seu corpo. Mais tarde, surgiu um lençol para recobrir o que lhes parecia ser um cadáver.

De súbito, o eu que se encontrava em pé foi depressa para o que parecia uma estrada de terra, um caminho florido e luminoso que terminava numa montanha. Ele a atravessou como se fosse uma miragem, até sair do lado oposto. Este lhe pareceu ser uma espécie de galpão ou escritório com várias pessoas em atividade, como uma empresa. Estavam cada qual à sua mesa, concentradas e separadas entre si por algo transparente, como se fosse vidro. Havia reunião numa das salas e, quando Amauri chegou perto, um homem se aproximou dele e disse:

— Não se preocupe. Tudo vai se resolver a contento. Mantenha a calma.

As pessoas desse lugar usavam uma espécie de túnica com cinto largo. Tinham entre 30 e 40 anos e eram todas altas, com 1,80 a 1,90 metro. O ambiente era de tranquilidade e segurança. Inquirido se a cena se repetiu várias vezes, Amauri respondeu:

— Cheguei a fazer esse caminho de ida e volta pelo menos quatro vezes.

Ao fim disso, atravessou de novo a montanha para retornar ao local do acidente, e agora o cenário ali era outro. O eu sentado ao lado do corpo havia desaparecido. Amauri viu apenas o corpo, isolado e recoberto pelo lençol. Ouvia o que as pessoas em volta diziam e conseguia ler os pensamentos delas. Por exemplo, uma senhora se aproximou do cadáver, colocou ao lado dois tijolos apoiados um no outro, em forma de cabaninha, e acendeu embaixo uma vela, pensando: "Coitado, tão novo!" Via quando as pessoas se aproximavam de seu corpo e levantavam o lençol na tentativa de reconhecê-lo.

Lentamente, Amauri se aproximou do corpo e caiu sobre ele "em câmera lenta". Sentiu que entrava no corpo até estar mesmo dentro, mas havia alguma coisa em cima da cabeça. Nisto, ouviu dizerem:

— Olhem, ele está se mexendo!
Alguém removeu o lençol sobre sua cabeça, e Amauri abriu os olhos, ergueu os braços e balbuciou:
— Me ajudem...
Percebeu que a pessoa mais próxima estava indecisa e assustada, pois o imaginava morto. No entanto, ela lhe deu a mão e o ajudou a se levantar. Pararam um carro que passava, e Amauri foi conduzido para dentro e levado às pressas para o hospital mais próximo.
O acidente tinha ocorrido a mais de 50 quilômetros de onde Amauri morava. Depois de recuperado, já em casa, soube que, na hora do acidente, a filha de 2 anos começou a chamar pelo pai repetidas vezes. A mulher de Amauri, que não sabia o que fazer para tranquilizar a criança, teve de repente uma sonolência esquisita, pois afinal era meio-dia. Adormeceu de imediato e sentiu-se transportada para um local. Segundo Amauri, a descrição que a esposa faz do lugar onde foi parar durante esse sono corresponde exatamente àquele para onde foi conduzido logo após o acidente. Amauri não a viu lá, nem ela o viu. Mas está convicto de que se trata do mesmo local.
A mulher, que naquele primeiro momento nada podia saber sobre o acidente, ficou convencida de que o motivo de estar ali em sonho era o marido. E, encontrando ao que tudo indica o mesmo homem que se dirigiu a Amauri, perguntou:
— O que aconteceu com o meu marido?
Ouviu resposta semelhante:
— Calma, está tudo bem.
A conclusão de Amauri é que, mesmo a mais de 50 quilômetros um do outro, ele esteve de alguma forma conectado com a mulher imediatamente após o acidente.
Essa EQM ilustra dois aspectos extremamente sugestivos de que a consciência pode estar fora do corpo: a EFC e a comunicação a distância.

EQM DA DRA. JEAN RENEE HAUSHEER

Na edição de maio-junho de 2014 da revista *Missouri Medicine*, chamou a atenção a extraordinária experiência de quase morte da oftalmologista Jean Renee Hausheer. Eis o relato:

> Durante o verão de 1977, aos 20 anos de idade [quando era estudante na Faculdade de Medicina na Universidade do Missouri, *campus* de Kansas City], experimentei um acontecimento extraordinário e transcendente. Cheguei à conclusão de que esse episódio pode ser mais bem descrito como "experiência de quase morte (EQM)". As visões de meu encontro com a morte alteraram meu entendimento sobre o significado e o sentido da vida, extinguiram para sempre meu medo da morte e confirmaram a maravilha e a alegria inefáveis de uma vida após a morte. A série de artigos sobre experiência de quase morte que a *Missouri Medicine* vem publicando aborda esse tópico importante, que, infelizmente, tem sido negligenciado na literatura médica e, na maior parte das vezes, desconsiderado pelas faculdades de medicina e pelos profissionais que elas formam. Assim, resolvi vir a público e compartilhar minha EQM com os leitores da revista.
>
> **Os fatos que levaram à minha experiência de quase morte**
> [...]
> No verão de 1977, desenvolvi o que parecia ser uma infecção bastante comum do trato respiratório superior. Meu pai, que era médico (obstetra e ginecologista), me fez descansar e usar descongestionante nasal.
> Duas semanas após o início desse "resfriado", retornei à faculdade para fazer uma prova que durou o dia todo. Nossa turma inteira prestava trimestralmente esses testes de múltipla escolha. Na primeira hora, de modo inesperado e inexplicável, desenvolvi uma visão dupla intermitente muito preocupante. Com dificuldade considerável, completei a prova fechando um olho e depois o outro. Quando terminei o teste, a diplopia era constante, e desenvolvia-se uma ptose [queda da pálpebra] bilateral. Liguei para meu pai para relatar a dificuldade. Ele ficou alarmado, me mandou ir direto para o pronto-socorro e foi me encontrar no hospital. Também marcou uma

consulta neurológica imediata. Minha mãe tinha desenvolvido esclerose múltipla [EM] aos 36 anos de idade. Meu pai e eu ficamos imaginando se aquilo seria minha primeira manifestação de EM, aos 20 anos.

Dirigi para o hospital com um olho fechado. Fui examinada por uma equipe de médicos que tinha sido reunida às pressas. Decidiram me internar. Estava desenvolvendo déficits neurológicos, inclusive ptose palpebral bilateral grave. A situação continuou a progredir pelos dias seguintes, com uma paralisia descendente. Meus médicos aventaram duas possibilidades diagnósticas: ou uma variação da síndrome de Guillain-Barré, ou miastenia grave.

Como a paralisia era descendente, rapidamente desenvolvi desconforto respiratório agudo. Respirar se tornou exaustivo. Por conta dessa situação difícil, fui enviada ao departamento de pneumologia para exames. A equipe de lá realizou um exame com fisiostigmina [medicamento usado para tratar a miastenia grave]. Infelizmente, acabei recebendo uma superdosagem e, muito depressa, fiquei com insuficiência respiratória aguda iatrogênica.

Minha experiência de quase morte
Desvaneci como num sonho. A última coisa que ouvi foi a terapeuta respiratória evocar o código azul [a necessidade imediata ou iminente de ressuscitação cardiopulmonar]. Lembro que, imediatamente antes de ter deixado o corpo, eu disse a ela que não conseguia mais respirar; era muito pesado e difícil.

Como se estivesse acima e destacada do corpo, vi os desesperados esforços de ressuscitação de emergência sobre meu corpo estirado no chão. Vi com interesse distante a frenética atividade em volta daquele corpo moribundo. Foi como assistir a um programa de televisão. Minha essência, minha alma, minha consciência, meu ser, meu espírito – como quer que se deva chamar a quintessência não corporal do ser – estava em paz, sereno. Agora eu não tinha a necessidade de corpo físico. Matéria e gravidade não eram mais barreiras para o movimento. Emergiu adiante uma esfera admirável, brilhante, da luz mais branca imaginável, da qual emanaram um amor e uma tranquilidade perfeitos. Apesar de sua luminosidade infinita, a luz era agradável e não causou fotofobia nem outro desconforto aos meus olhos.

Ao partir, não pude conceber que era meu corpo a morrer ali embaixo. Não era parte de mim, e o drama médico ao redor não me dizia respeito. Parecia natural desconsiderar e rapidamente deixar para trás a forma humana esvaziada.

A esfera radiante de luz amorosa tinha surgido a alguma distância e envolveu minha alma durante a jornada. A luz da esfera se originava de um lindo brilho central que excedia em muito o dos diamantes. Fiquei cônscia de que essa fonte de luz transcendente era uma coisa pacífica, viva, amorosa. Dela provinha a mais extraordinária transferência de puro amor e aceitação, muito além da imaginação humana. Muito naturalmente, sem esforço, fui atraída para essa esfera viva de luz amorosa. Quanto mais me dirigia à luz, mais depressa ela me envolvia e se incutia em minha alma. A fonte amorosa e minha alma fundiram-se na luz. Nós nos tornamos uma coisa só.

Duas vezes, durante essa experiência acelerada, percebi que meu corpo terreno estava morrendo e que aquele campo de luz amorosa era o destino de minha alma. Tendo apenas 20 anos, a cada vez que ponderava estar morrendo jovem, conseguia somente pensar numa palavra: "Não". Tão logo cogitava isso comigo mesma, cessava o movimento em direção à luz, como que suspenso em meio ao pensamento. Durante cada um desses dois "episódios de escolha", houve nítido contraste entre aquela esfera de amor viva, amorosa, e a escuridão de onde eu tinha vindo na Terra. A decisão de retornar à minha vida ou seguir em frente rumo à luz foi muito difícil. Era fascinante perceber que estavam me oferecendo uma escolha.

A esfera de luz viva que emanava uma quantidade incrível do mais puro amor me envolvia por completo. Quem eu era e quem essa fonte de luz era nos tornamos um só. Era um acolhimento, como se a fonte de luz amorosa estivesse agora completa outra vez e eu também, de forma análoga a duas névoas que se fundissem. A escuridão de onde eu vinha e os sentimentos desagradáveis foram embora completamente. Na segunda vez em que eu disse "Não" [...], uma voz falou comigo. Não era masculina nem feminina; era audível e vinha dessa esfera maravilhosa de luz viva e amor iluminado. A voz me envolveu. Ela me disse diretamente:

— Não se preocupe. Ainda não é a sua hora. Retorne!

Mais rápido que minha jornada à esfera de luz viva e amorosa, acordei de repente num respirador da UTI do hospital. Via e ouvia todas aquelas pessoas que, correndo ao redor, estavam ocupadas tentando me salvar. Conseguia ouvi-las conversar sobre como tinham notado que eu estava acordando. Estavam preocupados com a possibilidade de que eu pudesse necessitar de ressuscitação cardiopulmonar outra vez. Claro, agora eu tinha informação em primeira mão: sabia que ia sobreviver. A voz era dotada de significado poderoso e duradouro e tinha determinado minha sobrevivência terrena.

[...]

Passei o mês seguinte na UTI, trabalhando com afinco para me recuperar das deficiências físicas provocadas pela [sabia-se agora] síndrome de Guillain-Barré. Levei um ano para me recuperar, inclusive tendo de reaprender a andar e readquirir força e resistência nos níveis normais. Com o tempo, a diplopia foi eliminada. Apesar de dúvidas sobre minha capacidade de retomar o curso de medicina, consegui me formar com minha turma, ainda que tenha perdido muitas aulas.

Como a experiência de quase morte mudou minha vida

Essa experiência me transformou para sempre. Fiquei empolgadíssima ao sentir a maravilha e a beleza da fonte extraordinária de luz amorosa que nos espera além da vida aqui na Terra. Acredito nessa fonte de luz amorosa e prefiro chamá-la de Deus. Nunca mais vou sentir medo da morte, a minha ou a de outros.

Ao longo dos anos, pensei muito, mas falei pouco, sobre minha EQM. Compartilho com vocês esta conclusão: no ato de morrer, recebemos a chance de aceitar a luz inefável de amor puro e incondicional e nos unir a ela. Ouvi pessoas preocupadas com a morte daqueles entes queridos que não tiveram um relacionamento com Deus. Temiam que eles rumassem para a escuridão eterna. Por causa do que experimentei, minha visão difere nesse assunto. No momento da transição do "aqui para lá", foi-me possibilitado escolher ser una com essa esfera pacífica e amorosa de luz extraordinária. Na época, eu era cristã e tinha com Deus um relacionamento em construção e em crescimento, é verdade, mas certamente ainda era uma principiante.

[...]

O desenrolar do meu propósito na vida

Sou profundamente grata por ter recebido a oportunidade de retornar à existência terrena. Com tantas bênçãos, minha vida é plena e rica. Fiz o internato e a residência oftalmológica na Mayo Graduate School of Medicine, em Rochester, Minnesota. Retornei para Kansas City, onde exerci a medicina de 1986 a 2011 [quando se mudou novamente, agora para Oklahoma]. Sou uma oftalmologista de 57 anos, atuante, saudável, feliz. Tenho dois filhos incríveis e quatro enteados, e todos estão muito bem-casados com pessoas maravilhosas. Meu marido, Jim Meyer, e eu fomos abençoados com cinco netos e uma neta. Minha experiência de quase morte permitiu-me sentir, ver e experimentar o júbilo profundo que vem quando nossa alma, após a morte, torna-se una com a fonte de todo amor, paz e luz. [...][19]

Na correspondência que mantive em 2020 com a dra. Jane, ela respondeu a algumas perguntas:

A senhora teve sua EQM aos 20 anos. Depois se formou em medicina e vem clinicando desde então. Continua vendo sua EQM com as mesmas opiniões daquela época?

Nenhum de nós tem aos 63 as mesmas opiniões sobre muitas coisas que tinha aos 20. A vida nos ensina muito ao longo do caminho. Especialmente quando, no decorrer do tempo, contemplamos questões profundas como uma EQM. Depois da minha, passei grande parte da vida adulta lendo e relendo textos bíblicos para melhor compreensão. Então, aprendi muito mais desde aquele tempo. Além disso, na época da minha EQM, havia pouca ou nenhuma literatura científica sobre o assunto. Na verdade, não existia nem mesmo um nome, que eu pudesse encontrar em algum lugar, para o que tinha acontecido comigo. Hoje, em comparação, há pesquisas em andamento, inúmeros livros e muita literatura científica disponível.

Com os conhecimentos que adquiriu como médica, encontrou alguma hipótese científica que pudesse explicar sua experiência?

Por exemplo: a falta de oxigenação cerebral no momento da quase morte, o excesso de gás carbônico ou alguma outra modalidade química que estivesse ocorrendo no cérebro naquele momento.

Pouco depois da EQM, conversei sobre ela com o pastor de minha igreja, que me disse que devo ter sofrido falta de oxigenação cerebral. Mas, desde aquela época, estudei profundamente a ciência da EQM, e sua pergunta sobre oxigenação foi refutada muitas vezes; portanto, não é necessário responder. Mesmo hoje, ainda existem céticos e pessimistas. Essas pessoas sempre existiram. Uma das melhores definições de EQM pode ser encontrada no livro *Evidências da vida após a morte*, do médico Jeffrey Long. Os sobreviventes que passaram por situação de quase morte são pessoas que estavam tão comprometidas fisicamente que se encontravam inconscientes, clinicamente mortas ou à beira da morte. Sem batimento cardíaco. O termo *experiência* implica que os sobreviventes da EQM a tiveram enquanto estavam inconscientes. Cientificamente, não há memória lúcida quando a pessoa está inconsciente. Mas isso parece estranho, pois, se você falar com qualquer um de nós, sobreviventes de EQM – mesmo que, como no meu caso, a experiência tenha ocorrido em 1977 –, teremos clara e detalhada capacidade de nos lembrar dela por completo. Por outro lado, não me lembro do que almocei há quatro dias. Isso pode parecer estranho, mas faz sentido para todos nós, sobreviventes.

Gostaria que falasse um pouco sobre o estranhamento de ter assistido à própria reanimação cardiopulmonar e não ter compartilhado do desespero da equipe que tentava salvá-la.

Quanto ao estranhamento que você menciona, era uma situação neutra sem grande importância. Eu simplesmente não conseguia entender por que aquela terapeuta respiratória insistia em tentar ressuscitar o jovem corpo sem vida que estava no chão, já que claramente não havia mais ninguém naquele corpo. Eu não tinha como explicar a ela que suas ações eram inúteis, mas tampouco havia alguma preocupação de minha parte com tudo aquilo. Simplesmente observava, mais do que qualquer outra coisa. Uma observação dos fatos, nada emocional – aquilo não importava. Eu sabia que os esforços dela eram inúteis, mas ela não percebia isso. Não fiquei pairando ali por muito tempo, pois realmente não havia sentido em nenhuma das ações dela, de acordo com minha maneira de pensar, e fui rápida e totalmente atraída pela imensa, amorosa e linda esfera de luz que, para cima e para meu lado direito, me dava boas-vindas.

Algumas pessoas que tiveram EQM desenvolveram capacidades que não tinham antes. A senhora, diante da doença de seu pai [1993], teve a plena convicção de que ele havia partido antes mesmo de a morte ter sido anunciada na sala de cateterismo. Essa certeza veio de seus conhecimentos médicos ou foi uma espécie de premonição?

Não voltei com nenhuma habilidade que já não tivesse antes. Voltei com uma visão totalmente diversa sobre o significado e o propósito da vida e com a compreensão de que ela é uma dádiva e um tempo de aprendizado. Além disso, aprendi que tudo na vida está relacionado a como nós, em todas as situações, podemos e devemos glorificá-la ao longo do caminho. Acho que a maioria de nós que sobrevivemos a uma EQM tem uma visão diferenciada da morte. Minha situação não é diferente. De modo geral, fico feliz por aqueles que partem daqui, porque conheço bem o lugar para onde estão se dirigindo. Sem premonição. Minha EQM me ensinou como é fácil morrer. É muito mais difícil estar neste lado terreno da equação. No momento em que qualquer um de nós morrer, encontrará a certeza irrefutável de uma vida após a morte. Simples assim. Na minha situação, cheguei totalmente ao Céu. As múltiplas discussões simultâneas que tive com numerosas almas lá – todas de uma vez – ainda trazem um enorme sorriso ao meu rosto quando penso naquele momento especial de comunicação aprimorada e extraordinária.

Quais mudanças efetivamente ocorreram em sua vida devido à EQM?
Muitas, e provavelmente não conseguirei contá-las todas. Na EQM, para citar algumas, fui informada, em termos gerais, que tinha como missão terminar o curso de medicina e me tornar médica. E, também em termos gerais, que não deveria me preocupar com a paralisia provocada pela síndrome de Guillain-Barré caso optasse por voltar, já que, com o tempo, a doença desapareceria totalmente e minha saúde seria restabelecida. Conforme disse antes, eu me vi buscando respostas para minha EQM porque não havia outra pessoa além do meu pai que tivesse tido esse tipo de experiência. As respostas mais reconfortantes eu as encontrei na Bíblia, a qual tenho estudado mais intensamente com o passar do tempo. Certa vez, tive a prazerosa oportunidade de visitar outro sobrevivente de EQM. Foi muito agradável e profundo para mim compartilhar pessoalmente minha história com outro ser humano que havia passado pela experiência e poder contemplar sua experiência.

9. EQM e a busca da imortalidade

A TENTATIVA DE COMPREENDER o que se passa na mente das pessoas que vivenciaram o estranho fenômeno das experiências de quase morte nos fez contemplar os mais razoáveis postulados científicos disponíveis e aproximou-nos de inúmeras experiências e das mais variadas especulações.

Muitos relatos que ouvimos das dezenas de pessoas que tiveram EQM foram confrontados com o testemunho de espectadores que confirmaram cenas descritas em alguns deles. Pensávamos saber onde procurar a resposta para o enigma. Achávamos que a resposta poderia ser encontrada por meios empíricos, isto é, pela observação direta, pelo senso comum. No entanto, tínhamos ciência, de antemão, que o elemento crucial para a solução de tão grande mistério jamais estaria ao alcance das nossas observações, ou seja, a reprodução de uma EQM.

Talvez devêssemos revisitar Medawar quando ele enfatiza que respostas para explicar a transcendência pertencem ao domínio dos mitos, da metafísica, da literatura imaginativa ou da religião. O poeta grego Lucrécio, que viveu no século I, em 94 a.C. já anunciava: "O medo da morte criou o mito da imortalidade".

Inúmeros cientistas e vários pesquisadores do psiquismo nos deixaram testemunhos das suas experiências empíricas, mas nenhuma delas factível de comprovação científica. Vejamos alguns deles.

EMANUEL SWEDENBORG

Eu não saberia precisar o momento em que tomei conhecimento da existência de Emanuel Swedenborg. Creio que foi numa leitura de Jorge Luís Borges, na qual o escritor argentino compõe um pequeno poema em homenagem a Swedenborg. Em vários outros escritos, Borges manifesta admiração e encantamento pela figura do sábio sueco. Inúmeras outras figuras luminares se disseram influenciadas por Swedenborg, entre elas Lincoln, Blake, Coleridge e Yeats. E Goethe, Rousseau, Voltaire, Baudelaire e Kant não o ignoraram.

Quem afinal foi esse homem, que pesquisou mais áreas do conhecimento humano do que qualquer outro cientista antes ou depois? Swedenborg nasceu em Estocolmo em 1688 e morreu em Londres em 1772. Aos 11 anos, iniciou os estudos na Universidade de Uppsala. Formou-se em filosofia, mas seu interesse se diversificou para outros campos. Estudou fisiologia, ciências, matemática, medicina e direito. Como a maior parte de tais estudos era em latim, ficou proficiente nessa língua e, depois, em grego e hebraico. Dominou também o inglês, francês, italiano e holandês.

Entre obras científicas, filosóficas, psicológicas e teológicas, publicou perto de 240 títulos. Foi a primeira pessoa a sugerir que o sistema solar se formou quando uma nuvem gigantesca de poeira espacial desabou sobre si mesma, e, assim como Leonardo da Vinci, deixou projetos de aviões, submarinos e metralhadoras em seus diários.

Na década de 1730, pouco depois de ter completado 40 anos, Swedenborg começou a estudar neuroanatomia. Antecipando a teoria neural, concluiu que o cérebro continha milhões de pedacinhos independentes que se interconectavam. Deduziu corretamente que o corpo caloso possibilita que os hemisférios direito e esquerdo se comuniquem; determinou também que a hipófise funcionava como "laboratório químico".

Experiências de quase morte (EQMs)

Em 1743, começou a cair em transes místicos. Visões de rostos e anjos pairavam à sua frente e ele vivenciava estranhas sensações tácteis. No meio de um transe, tinha frequentes estremecimentos[1]. Em tudo lembrando um ataque epiléptico. Várias ocorrências passadas com Swedenborg surpreenderam seus contemporâneos. Acontecimentos extraordinários por ele vivenciados são testemunho de suas faculdades excepcionais e da certeza de sua comunicação com o outro mundo. O primeiro exemplo trata de sua EFC, relatada por ninguém menos que o filósofo alemão Immanuel Kant (1724-1804), em carta a uma amiga.

[Em 19 de julho de 1759, uma quinta-feira], cerca de quatro horas da tarde, Swedenborg, vindo da Inglaterra, aportou em Gotemburgo e foi convidado por William Castel para uma reunião em sua casa com mais 15 pessoas. Às seis, Swedenborg, que havia saído, voltou pálido e consternado ao salão, dizendo que, naquele instante, um incêndio grassava em Estocolmo e que o fogo se estendia com violência para a casa dele, Swedenborg. Estava muito inquieto e saiu várias outras vezes. Disse que a casa de um amigo, cujo nome citou, estava reduzida a cinzas e que a sua própria estava em perigo. Às oito, depois de outra saída, anunciou com alegria: "Graças a Deus, o incêndio extinguiu-se na terceira porta antes da minha".[2]

Ressalte-se que Gotemburgo fica a mais de 400 quilômetros de Estocolmo e que na época não havia nenhuma forma de telégrafo. O episódio despertou enorme curiosidade em toda a sociedade local. No domingo pela manhã, Swedenborg foi chamado pelo governador da província, que o interrogou a respeito. Swedenborg descreveu com exatidão o incêndio, seu início e seu término. A notícia, que tinha se espalhado por toda Gotemburgo, ganhou ainda maior divulgação por ter o governador lhe dado atenção.

Na segunda à tarde, chegou um mensageiro de Estocolmo com notícias enviadas no momento do incêndio. Nessa carta, o incêndio era descrito tal e qual Swedenborg tinha dito. Na quarta de manhã, chegou ao governador o correio régio com a narração do incêndio, das perdas que tinha causado e das casas que tinha atingido, sem que houvesse a menor diferença entre esse relato e o de Swedenborg. De fato, o fogo fora extinto às 20h de quinta.

Um segundo episódio teve enfoque diferente e aconteceu em 1761.

A viúva do embaixador da Holanda em Estocolmo, madame De Marteville, sabendo da capacidade de Swedenborg de falar com os mortos, achou que ele poderia auxiliá-la a resolver um caso que a incomodava muito. Um prateiro tinha-lhe apresentado uma conta grande por um trabalho feito para o embaixador pouco antes da morte deste. A viúva tinha certeza de que o marido havia quitado a dívida, mas ela não conseguia achar o recibo. Swedenborg concordou com o pedido de avistar-se com o embaixador no mundo espiritual. Poucos dias depois, Swedenborg trouxe-lhe a informação pedida: havia realmente encontrado o embaixador e falado com ele. Disse que o próprio marido diria a ela onde o recibo estava. Oito dias depois, a sra. De Marteville sonhou com o embaixador, que lhe disse para procurar no local secreto de uma escrivaninha. Ela assim fez e achou não só o recibo, mas também joias que julgava perdidas. Na manhã seguinte, Swedenborg foi à casa da viúva e, antes que ela dissesse algo, contou-lhe que, durante a noite, havia outra vez tratado com o embaixador no mundo espiritual e que o morto tinha interrompido a conversa para falar com a mulher sobre o recibo perdido.

A biografia de Swedenborg, repleta de situações inéditas e absolutamente surpreendentes, traz-nos ainda seu relato de uma verdadeira EQM, em um de seus livros mais conhecidos, *O Céu e o inferno* (1758).

BRITÂNICOS E SOVIÉTICOS

No Reino Unido da segunda metade do século 19, pesquisadores do psiquismo estavam empenhados em comprovar que a personalidade humana sobrevivia à morte física. Eram personalidades de renome como Henry Sidgwick (1838-1900), catedrático de filosofia moral em Cambridge e primeiro presidente da SPR, a Society for Psychical Research (Sociedade para a Pesquisa do Psiquismo); o naturalista Alfred Russel Wallace (1623-1913), que elaborou independentemente de Darwin a teoria da seleção natural e depois se converteu ao espiritismo; o filósofo Arthur Balfour (1848-1930), segundo presidente da SPR e, já no início do século 20, primeiro-ministro britânico; e muitos outros. Alimentavam-se de esperanças em mistérios ainda não totalmente esclarecidos.

De um lado, os adeptos da SPR recebiam mensagens psicografadas e eram motivados sobretudo pela oposição ao materialismo científico que então se estabelecia. Ao se comunicarem com os mortos por inúmeras cartas psicografadas, esses pesquisadores acreditavam ser parte de um experimento levado a cabo por cientistas mortos, que trabalhavam no além e poderiam trazer paz para o mundo aqui embaixo.[3]

Por mais respeitáveis que fossem tais personalidades, seus testemunhos, ainda que sinceros, careciam de uma verdadeira comprovação científica.

LEÓN DENIZARD RIVAIL

A proximidade entre ciência e ocultismo, abundantemente disseminada no século 18, não desapareceu por completo no século seguinte. Em maio de 1855, o professor Hippolyte Léon Denizard Rivail, renomado pedagogo e tradutor francês de 50 anos, foi convidado a participar de uma reunião na casa de madame Plainemaison, na rue Grange-Batelière, 8, Paris. Nos grandes centros da Europa e dos Estados Unidos, eram moda sessões como as famosas mesas girantes, aparentemente controladas por espíritos. Rivail tinha se decidido a desmascarar tais fenômenos. Estava convencido de que ou havia fraudes, ou eles se explicavam cientificamente como resultado do magnetismo ou eletricidade das pessoas presentes – ou até de algum outro princípio científico então desconhecido. "Quem estudar a fundo as ciências rirá da credulidade supersticiosa dos ignorantes", escreveu. "Não mais crerá em fantasmas nem em almas do outro mundo. Não mais tomará fogos-fátuos por espíritos."[4]

A vida de Rivail começou a mudar quando, na casa de madame De Plainemaison, foi apresentado a duas mocinhas, Caroline e Julie Baudin, então com 16 e 14 anos de idade. Elas atraíam inúmeros curiosos aos saraus promovidos pelos pais e impressionavam os visitantes com a capacidade de colocar no papel mensagens atribuídas a inteligências estranhas. Rivail presenciou mais algumas reuniões, mas não se divertia como a maioria dos convidados, que propunham ou perguntavam apenas frivolidades às duas adolescentes.

Numa daquelas ocasiões, Caroline recebeu uma mensagem que se identificou com nome e sobrenome: Fréderic Soulié, literato francês que tinha nascido em 1800, morrido em 1847 e sido enterrado no cemitério Père-Lachaise (Paris). Em vida, Soulié conquistara o público com peças e romances de conteúdo mordaz. As ironias usadas por Caroline e atribuídas a Soulié não deixavam dúvidas de que se tratava do escritor. Foi o início da quebra nas convicções de Rivail. Dali em diante, ele mudaria não só de crença como também de nome: passou a se chamar Allan Kardec.

Na lápide de Kardec, também enterrado no Père-Lachaise, está inscrita uma frase famosa de *Afinidades eletivas*, o romance de Goethe: "Nascer, morrer, renascer ainda e progredir sem cessar. Essa é a lei".

O EXPERIMENTO SCOLE

Em 1993, um grupo de quatro pesquisadores britânicos – Robin Foy, Sandra Foy, Alan Bennett e Diana Bennett – iniciou uma investigação científica para tentar detectar a existência de consciência individual após a morte física. O estudo se estendeu até 1998 e ficou conhecido como "experimento Scole", nome do vilarejo de Norfolk (Inglaterra) onde o realizaram.[5]

Uma característica muito importante do experimento Scole é que ele parece ser transferível e passível de repetição.

Inúmeros fenômenos foram observados nessas experiências, que reuniram renomados cientistas – entre eles o conhecido biólogo Rupert Sheldrake –, os quais atestaram a veracidade dos acontecimentos: aportes de objetos, materializações e desmaterializações, mensagens gravadas em filmes hermeticamente fechados, todos intermediados por médiuns. As experiências foram realizadas inicialmente na Inglaterra. Com a divulgação dos resultados, o grupo foi convidado a reproduzi-las nos Estados Unidos, na Suíça, na Alemanha e na Espanha. Embora haja céticos que questionam a veracidade dessas experiências como comprovantes da existência de uma consciência após a morte, os cientistas que as presenciaram foram enfáticos em afirmar a veracidade dos experimentos e a impossibilidade de atitudes fraudulentas por parte dos participantes.

10. Darwin na sessão espírita

POR MAIS INVEROSSÍMIL QUE PAREÇA, Charles Darwin compareceu a uma sessão espírita. Foi em 16 de janeiro de 1874, na casa de seu irmão, Erasmus, na Queen Anne Road, 6, em Londres. Entre os outros participantes, estavam Francis Galton (1822-1911), antropólogo, eugenista, primo em segundo grau de Darwin e um dos fundadores da então moderna ciência da psicologia, e George Eliot (Mary Ann Evans, 1819-1880), a romancista que adotara esse pseudônimo masculino para fugir aos estereótipos de que mulher só escrevia romances frívolos.

O seleto grupo temia que a ascensão do espiritismo impedisse o avanço do materialismo científico. Da inusitada sessão, Darwin deixou registrado que a experiência foi "calorenta e cansativa". Ele saiu antes que tivessem acontecido algumas coisas extraordinárias: avistaram-se faíscas, ouviu-se a mesa fazer ruídos e cadeiras subiram sozinhas na mesa. Em outra sessão, 11 dias depois, seu filho George e o biólogo e antropólogo Thomas Henry Huxley (1825-1895) atuaram como representantes de Darwin. Depois que os dois lhe relataram que os médiuns se valiam de prestidigitação, Darwin escreveu:

> Agora, a meu ver, serão necessárias provas de grande peso para fazer que acreditemos em alguma coisa além de simples trapaça. [...] Estou satisfeito por ter declarado anteontem, diante de toda a minha família, que, quanto mais eu pensava no que tinha acontecido na Queen Anne Road, mais convencido ficava de que tudo tinha sido impostura.[1]

Darwin, Galton e Huxley – os três apóstolos do materialismo científico – ficaram convencidos de fraude e passaram a abominar o espiritismo. Mas um dos participantes, o poeta Frederic W. H. Myers, veio a ser um dos fundadores e depois presidente da Society for Psychical Research[2]. Assim, a opinião daqueles importantes materialistas não foi suficiente para interromper a busca da imortalidade. Ela não só continuou como também se desenvolveu. Com certeza, não tem data para acabar – a não ser que a raça humana desapareça da face da Terra.

Nos antigos rituais mortuários egípcios (que, em sutil processo de mumificação, preservavam os cadáveres junto com seus pertences mais valiosos, alguns com verdadeiros tesouros acumulados em vida), tinha-se sempre em mente a imortalidade. E dezenas, até centenas de milênios antes, os homens de Neanderthal já enterravam os mortos junto dos objetos de uso pessoal, para ser utilizados na outra vida, no outro mundo, onde deveriam por certo renascer.

Talvez mais do que os ocultistas – e com certeza mais do que os cientistas –, os artistas clamaram pela imortalidade. O escritor de língua alemã Elias Canetti (1905-1994), Nobel de Literatura em 1981, dedicou muitas anotações de seu diário a expressar sua esperança na imortalidade. Depois que Canetti morreu, tais anotações foram reunidas em livro, inclusive esta:

> Não é nenhuma vergonha, não é egoísta, é correto e bom e consciente que nada inspire tanto alguém quanto pensar a imortalidade. Não se vê, pois, como eles, amontoados em vagões, são enviados à morte? Eles não riem, eles não fazem piadas e eles não se gabam para mutuamente alimentar sua falsa coragem? E então eles voam em 20, 30, 100, em bandos de aviões sobre a gente, carregados de bombas, a cada quarto de hora, a cada minuto, e vê-se como regressam pacíficos, brilhando na luz do sol, como flores, como peixes, depois de terem destruído cidades inteiras. Não se pode dizer mais "Deus". Ele está marcado para sempre. Ele tem na fronte o sinal de Caim das guerras; pode-se apenas pensar na única salvação: a imortalidade! Quem

mataria, quem ainda cairia na armadilha do assassinato, *se nada houvesse que se pudesse assassinar?*[3]

Depois da análise exaustiva das teorias científicas que procuram explicar as experiências de quase morte, minha conclusão é que nenhuma delas consegue justificar de maneira inexorável e irrefutável os aspectos descritos nas EQMs. Nenhum físico, biólogo ou neurocientista consegue explicar como é possível que certas pessoas estejam mais conscientes durante uma parada cardíaca – ou seja, quando o cérebro não é capaz de manifestar nenhuma atividade possível de detectar e desaparecem os reflexos corporais e os reflexos do tronco cerebral. Acresce-se o fato de que várias pessoas que passaram pela experiência de quase morte conseguem relatar acontecimentos muito distantes do local em que seu corpo jazia inerte durante o coma ou quase morte.

Após tantas leituras, tantas reflexões e inúmeros relatos de pessoas que tiveram EQM, estou convencido de que a consciência não pode ser considerada produto do funcionamento cerebral. Tudo indica que é o contrário: a mente influencia as funções cerebrais. Nenhum conhecimento científico atual explica todos os aspectos da subjetividade descritos por pacientes durante parada cardíaca. A análise dos trabalhos publicados sobre EQMs – a interpretação dos mecanismos possíveis para explicá-las, os testemunhos dos estudos retrospectivos e até mesmo dos prospectivos – leva-nos enfim à conclusão de que elas são reais, tão relevantes se mostram os inúmeros indícios e provas. Ao admiti-las, apostamos inarredavelmente todas as fichas em que a consciência – ou espírito; dá no mesmo! – sobrevive ao corpo físico.

Ora, se as EQMs são verdadeiras, se a consciência existe independentemente do corpo, nós, ao reconhecermos isso como verdade científica, não estamos fazendo nada além de reconhecer que há vida depois da morte.

Trocando em miúdos, as EQMs nos dão a entender aquilo que a maior parte da humanidade almeja: a imortalidade.

11. A beleza salvará o mundo

> A beleza é como um brilho de eternidade em um minuto que gostaríamos de esticar por toda a extensão do tempo.
>
> ALBERT CAMUS

AO TÉRMINO DESTE LIVRO, dei um tempo à escrita para refletir sobre os depoimentos que ouvi das pessoas que abriram a alma para falar de suas EQMs. O que elas descrevem é a mais pura beleza. Não se trata da beleza que se pode ver numa obra de arte, num pôr do sol ou numa noite enluarada. É a beleza transfigurada no mais puro sentimento, de entrega sem limites, de aceitação puramente espiritual. Realização e plenitude, ela poderia ser uma opção para explicar o inexplicável. O inefável dos relatos significa exatamente isto: o indizível, o que não é possível explicar com palavras, pois todo ele é sentimento, comunhão com o cosmo.

A sensação nem poderia ser chamada de fugaz, pois os depoimentos explicam que não tem sentido falar de tempo naquele estado. Graças a esses momentos de real beleza, perde-se a noção não só do tempo como também do espaço e sente-se que a vida se torna mais bela, mais esplendorosa, e que nunca se voltará a ser a mesma pessoa. Isso acontece mesmo àqueles que não professavam fé nenhuma.

"A aspiração à plenitude e à realização interior se encontra no espírito de todo ser humano" – palavras do linguista e filósofo búlgaro Tzvetan Todorov (1939-2017), num ensaio famoso.[1] É a afirmação a que recorro para tentar entender o que – ou melhor, aproximar-me do que – as pessoas que viveram EQMs pretendem dizer quando usam ou nos fazem evocar o vocábulo *inefável*.

Os sentimentos tão frequentemente referidos por quem teve EQM me remetem ao que, em *O idiota*, Dostoiévski assegurou nas palavras de sua personagem mais querida, o príncipe Míchkin: "Por aqueles segundos que antecedem o ataque, [...] eu daria a própria vida". Ora, direis, Dostoiévski era epiléptico, estava falando da própria epilepsia. E eu vos lembraria de s. Paulo, na iluminação que teve na estrada de Damasco; do místico Swedenborg, que tantas vezes visitou o Céu; de Maomé, que ia ao Paraíso durante seus ataques; de s. João da Cruz e seus êxtases registrados em poemas.

Entre o êxtase na epilepsia de Dostoiévski e o êxtase na ascese contemplativa de s. João da Cruz, há diferenças evidentes, sim.

No romancista russo, trata-se de experiência gratuita: aparece, breve e súbita, como um clarão, totalmente imprevisível e incontrolável; impõe-se ao paciente, como todas as manifestações epilépticas, por uma descarga brutal dos circuitos neuronais excitados pela doença. Em s. João da Cruz, ao contrário, é o resultado de longa e dura ascese preparada durante intermináveis momentos de contemplação, com o afastamento do mundo exterior e o despojamento do espírito, para chegar ao estado de êxtase. Este resulta, portanto, de uma aplicação voluntária, contínua e ardente.

De outra parte, a análise do êxtase de Dostoiévski revela um componente racional, mesmo que muito geral e impreciso: a revelação de um mundo novo, a compreensão das causas finais. Naturalmente, revela também importante elemento afetivo: a percepção de uma felicidade incrível com uma alegria estética profunda em face de um universo de harmonia eterna. Quando por duas vezes o príncipe Míchkin diz que "a beleza salvará o mundo", está condensando toda a filosofia de Dostoiévski.

Essa beleza, repetimos, não é a física, de uma mulher, por exemplo. Numa correspondência com seu amigo Maïkov, Dostoiévski escreve: "O pensamento principal do romance [*O idiota*] é representar um homem positivamente belo". E explica:

> O belo é o ideal; ora, o ideal, o nosso [isto é, da Rússia] ou o da Europa civilizada, está ainda longe de ser elaborado. Só existe no mundo um ser

absolutamente belo, Cristo, de maneira que a aparição desse ser imensa e infinitamente belo é por certo um milagre infinito.[2]

Já em s. João da Cruz, o elemento puramente intelectual, racional, quase não existe. O êxtase se afunda num não saber. Ele transcende todo o conhecimento, toda a ciência: ele é Amor.[3]

Por que procurar nos êxtases místicos – quer epilépticos, quer não – um paralelo com os momentos de êxtase referidos por pessoas que estiveram à beira da morte? A humanidade comum, entre os quais nos incluímos, não pode – e talvez nunca possa – ter acesso àquele mundo de comunhão com o todo, vivenciado por místicos como Swedenborg, s. João da Cruz, Dostoiévski ou Maomé.

Há paralelo e dessemelhança entre o êxtase das EQMs e o dos místicos. Paralelo porque ambos vivenciam o incognoscível, o inefável – eterna fonte de alegria suprema, comunhão com a espiritualidade e com o que há de mais terno, receptivo, amoroso e transcendental. Dessemelhança porque uns vivem esse júbilo à beira da morte e os outros, durante uma transfiguração neurofisiológica cerebral. No mais, os casos de EQM que ocorreram durante crises epilépticas não são exatamente iguais àqueles que se apresentaram na iminência da morte.

Dito isso, a dúvida continua a nos corroer por dentro: os misteriosos escaninhos do funcionamento cerebral estariam por trás de tão estranhos fenômenos? Tal dúvida não deve nos afastar do engajamento com a espiritualidade. Não necessariamente com alguma religião ou crença, como cristianismo, islamismo ou budismo, mas não podemos nos furtar à admiração pelo mistério, pelo incognoscível que as EQMs nos trazem. O entendimento humano deve ir além dos velhos estereótipos dados pela ciência convencional, de acreditar somente depois que se puder reproduzir em laboratório. Talvez devamos nos alinhar com C. G. Jung quando disse: "Não vou me comprometer com a estupidez em voga de considerar fraude tudo o que não consigo explicar".

Notas

APRESENTAÇÃO

1. O artigo de Van Lommel, "Near-death experience in survivors of cardiac arrest: a prospective study in the Netherlands" (2001), foi o pontapé inicial para meus estudos de EQM. Em seguida, seu livro *Eindeloos bewustzijn* (2007), na tradução francesa de Claude Farny [*Mort ou pas? Les dernières découvertes médicales sur les EMI* (2012)], me serviu de guia durante todo o tempo em que me dediquei a escrever este livro.

2. António Damásio, *Em busca de Espinosa* (2004). Consultaram-se todos os livros de Damásio já traduzidos para o português, sobretudo quando se quis fazer referência aos principais pesquisadores materialistas, que postulam que a mente é produto dos neurônios.

3. Raymond, Moody Jr., *A vida depois da vida* (2004). Ed. original: *Life after life: the investigation of a phenomenon – Survival of bodily death* (1975). O livro teve grande repercussão e foi traduzido no mundo inteiro. Moody insistia em que sua coleta de dados não constituía propriamente estudo científico: uma vez tornado público seu interesse pelo assunto, pessoas que tinham tido EQMs o procuraram para descrevê-las. De todo modo, não só teve o mérito de chamar a atenção do público leigo para o tema, mas também foi o estopim para que o meio científico se interessasse, e daí surgiram todas as pesquisas relacionadas às EQMs, como veremos mais adiante.

4. Michael B. Sabom, *Recollections of death* (1982). Ed. francesa: *Souvenirs de la mort* (1983). As menções e citações que faço provêm da edição francesa.

5. Kenneth Ring, *Life at death* (1982). Todos os dados dessa obra de Ring usados no presente livro foram extraídos da tradução francesa: *La frontière de la vie* (1982). Um título posterior seu, com tradução brasileira, é: *Rumo ao ponto ômega: em busca do significado da experiência de quase morte* (1996).

6. Elisabeth Kübler-Ross, *A morte: um amanhecer* (1991a); *Sobre a morte e o morrer* (1991b).

7. Relaciono aqui as principais contribuições de Greyson para o estudo das EQMs: "Incidence of near-death experiences following attempted suicide: lack of influence of psychopathology, religion and expectations" (1986); "Near-death encounters with and without near-death experiences: comparative NDE scale profiles" (1990); "Near-death experiences and anti-suicidal attitudes" (1992-1993).

8. Sam Parnia, *O que acontece quando morremos?* (2008); Sam Parnia et al., "AWARE – AWAreness during REsuscitation: a prospective study" (2014).

9. Pim van Lommel, *Mort ou pas?* Alguns dos aspectos que distinguem o trabalho de Van Lommel de outros pesquisadores de EQM são suas tentativas de basear nos conhecimentos da física quântica as explicações para o fenômeno da experiência de quase morte.

10. Veja George G. Ritchie, *Voltar do amanhã* (1984). Acresça-se que, no intervalo entre os *best-sellers* de Moody e Ritchie, um interessante estudo sobre experiências de quase morte foi publicado pelo leto-americano Karlis Osis (1917-1997) e pelo islandês Erlendur Haraldsson (1931-1920): *At the hour of our death* (1977). Os autores pesquisaram os aspectos fenomenológicos e as transformações características das visões de pacientes à beira da morte, mediante observações relatadas por médicos, enfermeiros e, ocasionalmente, pelos próprios sobreviventes, nos Estados Unidos e na Índia. Na terceira edição do livro (1997), acrescentou-se o capítulo "Evidence for life after death" [Indícios ou provas da vida após a morte], em que Osis retoma conclusões baseadas em mais de mil entrevistas sobre a experiência de quase morte.

1. O DESPERTAR DO CÉTICO

1. Pierre-Aintoine-Joseph Du Monchaux, *Anecdotes de médecine ou choix de faits singuliers qui ont rapport à l'anatomie, la pharmacie, l'histoire naturelle, et auxquelles on a joint des anecdotes concernant les médecins les plus célèbres* (1766).

2. Philippe Charlier, "Oldest medical description of a near-death experience (NDE), France, 18th Century" (2014).

2. O QUE É A CONSCIÊNCIA?

1. Steven Pinker, *Como a mente funciona* (2002).

2. Paul M. Churchland, *Matéria e consciência: uma introdução contemporânea à filosofia da mente* (1998).

3. Michael S. Gazzaniga, Richard B. Ivry e George R. Mangun, *Neurociência cognitiva: a biologia da mente* (2006).

4. Veja Daniel C. Dennett, *A perigosa ideia de Darwin: a evolução e os significados da vida* (1998); *La Conscience expliquée* (1993); *Brainstorms: ensaios filosóficos sobre a mente e a psicologia* (2006).
5. Crick, *The astonishing hypothesis: the scientific search for the soul* (1994).
6. Kandel, *Em busca da memória* (2006).
7. Ryle, *The concept of mind* (1949).
8. McGinn, *The problem of consciousness: essays toward a resolution* (1991).
9. Dennett, *La Conscience expliquée*.
10. Nagel, "What is it like to be a bat?" (1974).
11. Searle, *A redescoberta da mente* (1997).
12. Kandel, *Em busca da memória*.
13. Gerald M. Edelman, *Biologia da consciência: as raízes do pensamento* (1992).
14. Francis C. Crick e Christof Koch, "What is the function of the claustrum?" (2005).
15. V. S. Ramachandran, *O que o cérebro tem para contar* (2014).

3. O FANTASMA NA MÁQUINA

1. Stephen Jay Gould, *Darwin e os grandes enigmas da vida* (1999).
2. William B. Scoville e Brenda Milner, "Loss of recent memory after bilateral hippocampal lesions" (1957).
3. Ryle, *The concept of mind*.
4. Koestler, Arthur, *O fantasma da máquina* (1969).
5. John Eccles, *A evolução do cérebro: a criação do eu* (1995).
6. Crick, *The astonishing hypothesis*.
7. Wilder Penfield e Theodore Rasmussen, *The cerebral cortex of man: a clinical study of localization of function* (1950); Wilder Penfield e Herbert Jasper, *Epilepsy and the functional anatomy of the brain* (1954).
8. John Eccles, *Cérebro e consciência – O self e o cérebro* (1994).

4. O QUE É EXPERIÊNCIA DE QUASE MORTE?

1. Bruce Greyson, *Experiências de quase morte* (2007b).
2. Moody Jr., *A vida depois da vida*.
3. Dean Mobbs e Caroline Watt, "There is nothing paranormal about near-death experiences: how neuroscience can explain seeing bright lights, meeting the dead, or being convinced you are one of them" (2011). Nesse artigo, os autores interpretam o fenômeno da experiência de quase morte da seguinte forma: "Aproximadamente 3% dos americanos declaram ter tido experiência de quase

morte. Na versão já clássica, essas experiências envolvem a sensação de que a alma deixou o corpo, aproxima-se de uma luz brilhante e vai para outra realidade, onde o amor e a felicidade abrangem tudo. Ao contrário da crença popular, a pesquisa indica que não há nada de paranormal em tais experiências. As experiências de quase morte são, isto, sim, a manifestação da função cerebral normal que deu errado, durante algum episódio traumático e, às vezes, inofensivo". Em artigo publicado no ano seguinte na mesma revista (2012), Bruce Greyson, Janice Miner Holden e Pim van Lommel contestaram veementemente as ideias de Mobbs e Watt.

4. Falo sobre esse tipo de circunstância psiquiátrica em meu livro *O homem que fazia chover e outras histórias inventadas pela mente* (2006).

5. Penfield e Rasmussen, *The cerebral cortex of man*. Veja também Penfield e Jasper, *Epilepsy and the functional anatomy of the brain*.

6. Olaf Blanke et al., "Stimulating illusory own-body perceptions: the part of the brain that can induce out-of-body experience has been located" (2002); "Out-of-body experience and autoscopy of neurological origin" (2004b); "Illusions visuelles" (2004a); Olaf Blanke e Shahar Arzy, "The out-of-body experience: disturbed self-processing at the temporo-parietal junction" (2004).

7. Edward F. Kelly, "A view from the mainstream: contemporary cognitive neuroscience and the consciousness debates" (2006).

8. D. Mobbs e C. Watt, "There is nothing paranormal about near-death experiences: how neuroscience can explain seeing bright lights, meeting the dead, or being convinced you are one of them" (2011).

9. Kübler-Ross, *A morte: um amanhecer* e *Sobre a morte e o morrer*.

10. Bruce Greyson, "Consistency of near-death experience accounts over two decades: are reports embellished over time?" (2007).

11. Bruce Greyson, "The incidence of near-death experiences". *Medicine & Psychiatry*, 1, 1998, p. 92-99.

12. Susan J. Blackmore e Tom S. Troscianko, "The physiology of the tunnel", 1988, p. 15-28.

Veja também, de Susan Blackmore, *Experiências fora do corpo* (1993). Nesse livro, a autora descreve sua própria EFC, que se deu quando era universitária em Oxford (Inglaterra). A experiência aconteceu depois de ela ter sentido intenso cansaço físico e mental e fumado um cigarro de haxixe. Estava acompanhada de dois amigos. Saiu do corpo e viu do teto a si mesma, os amigos e as poltronas e sofás do apartamento onde estava. Refere ter visto uma espécie de cordão prateado que ligava a região de seu pescoço físico à região do umbigo fantasmático. Ao tentar usar as mãos para mover o cordão, ficou surpresa porque bastou a força do pensamento para fazê-lo.

Antes de ter iniciado uma longa viagem, saiu do apartamento pelo teto e chegou facilmente ao alto do edifício. Observou que o telhado era vermelho e que havia muitas chaminés. Viajou pelo espaço; visitou Paris e Nova York e sobrevoou a América do Sul, mares e florestas. Depois, voltou ao corpo. A experiência causou-lhe profunda impressão e grande transformação, pois, imediatamente após o ocorrido, chegou à conclusão de que havia mesmo um duplo real. "Isto demonstra que 'eu' posso agir sem meu corpo físico e ver sem o auxílio dos meus olhos. É obvio, então, que posso sobreviver à morte desse corpo. Tenho outro corpo imortal; a morte não existe; não sinto mais medo de morrer." No entanto, suas reflexões posteriores a levaram a concluir que tudo não passou de imaginação e fantasia.

Uma das mais impressionantes EFCs teria ocorrido em 1955 e foi descrita por Lucian Landau (1912-2001): "An unusual out-of-the-body experience", *Journal of the Society for Psychical Research*, v. 42, 1963, p. 126-28. A noiva, Eileen, costumava conversar com Landau sobre as EFCs que ela costumava vivenciar durante o sono. Após um desses episódios, descreveu com precisão o local e as pessoas que estavam com um amigo, que se encontrava muito longe, de férias. Depois disso, Eileen (com quem ele se casaria depois) foi pernoitar na casa dele. Landau lhe propôs que, com os dois dormindo em quartos separados, ela, caso tivesse uma EFC, o demonstrasse trazendo o diário dele, que estava no escritório da residência. Já que Landau não acreditava que um objeto tão maciço como o pequeno diário pudesse atravessar a parede, deixou as portas de ambos os quartos abertas. Quando já amanhecia, Landau despertou subitamente, a tempo de ver o vulto pálido da noiva deslizar – não caminhar – devagar para o escritório, onde se encontrava o diário. Na mesma hora, Landau saiu da cama e seguiu o vulto. Ao mesmo tempo, viu Eileen dormir no outro quarto e notou seus movimentos respiratórios, inalterados. Landau continuou seguindo o vulto, que sumiu de repente. Quando ele voltou à cama, encontrou ao lado um cachorrinho de borracha. Pela manhã, perguntou a Eileen o que lhe tinha acontecido. Ela respondeu que, não tendo conseguido pegar o diário conforme o combinado, achou que talvez fosse possível carregar algo que pertencia a ela. Assim, pegou aquele seu brinquedo e o levou ao quarto de Landau.

13. T. Lempert, M. Bauer e D. Schmidt, "Syncope and near-death experience" (1994).

14. Ladislas T. Meduna, *Carbon dioxide therapy: a neuropsychological treatment of nervous disorders* (1950).
15. Z. Klemenc-Ketis, J. Kersnik e S. Gremc, "The effect of carbon dioxide on near-death experiences in out-of-hospital arrest survivors: a prospective observational study" (2010).
16. Van Lommel, *Mort ou pas?*
17. Karl Jansen, "Neuroscience, ketamine and the near-death experience: the role of glutamate and the NMDA-receptors" (1996).
18. F. Franzen e H. Gross. "Tryptamine, N,N-dimethyltryptamine, N,N-dimethyl-5-hydroxytryptamine and 5-methoxytryptamine in human blood and urine" (1965).
19. Rick Strassman, *DMT: the spirit molecule – A doctor's revolutionary research into the biology of near-death and mystical experiences* (2001). Ed. francesa: *DMT: molécule de l'esprit* (2005).
20. W. Y. Evans-Wentz (org.), *O livro tibetano dos mortos* (1986).
21. Oliver Sacks, *A mente assombrada* (2013).
22. Peter Fenwick, "Commentary on 'Near-death experience with hallucinatory features'" (2007).
23. Richard Dawkins, *O gene egoísta* (2001).
24. Rupert Sheldrake, *Uma nova ciência da vida* (2013).

5. CIÊNCIA E EQM

1. Ring, *Sur la frontière de la vie*.
2. Sabom, *Souvenirs de la mort*.
3. Na análise dos casos de EQM entrevistados em nosso trabalho, utilizamos a escala de Greyson, a qual foi validada para a língua portuguesa. Aqui, voltamos a destacar os três trabalhos fundamentais de Bruce Greyson que já arrolamos na Nota 7 da Apresentação: "Incidence of near-death experiences following attempted suicide: lack of influence of psychopathology, religion and expectations" (1986); "Near-death encounters with and without near--death experiences: comparative NDE scale profiles" (1990); e "Near-death experiences and anti-suicidal attitudes" (1992). No presente capítulo, veja também a nota 4, logo a seguir.
4. Bruce Greyson, "Cosmological implications of near-death experiences" (2011). Nesse artigo, Greyson analisa em profundidade as duas vertentes que tentam explicar a relação mente-cérebro: a que é materialista reducionista e tem entre seus defensores Churchland, Damásio, Crick e Pinker; e a que considera o

cérebro apenas a interface para o funcionamento da mente, sendo ele uma espécie de receptor-transmissor. Embora muitos físicos, psicólogos e neurocientistas do século 20 tenham definido o modelo reducionista de que o cérebro produz a mente – ou de que ele é de fato a mente –, vários aspectos dos relatos de EQMs, como os processos mentais notavelmente aprimorados, a percepção fora do corpo e as visões de familiares e amigos falecidos, põem em dúvida se o reducionismo materialista conseguirá fornecer uma explicação completa da mente. Talvez o mais importante desses aspectos, porque comumente relatado, seja a atividade mental aumentada: nos relatos de EQM, descrevem-se com frequência processos mentais lúcidos ao extremo e experiências sensoriais invulgarmente vivas, superando as do estado de vigília – quando, de acordo com o modelo de produção cérebro-mente, a atividade mental deveria estar diminuída ou inexistir nas paradas cardiorrespiratórias.

5. Rhawn Joseph, "Frontal lobe psychopathology: mania, depression, aphasia, confabulation, catatonia, perseveration, obsessive compulsions, schizophrenia" (1999); "The neurology of traumatic 'dissociative' amnesia: commentary and literature review" (1999). As funções do lobo frontal serão amplamente discutidas no capítulo seguinte, durante a análise do caso de Phineas Gage, estudado por António Damásio.

6. Michael Nahm e Bruce Greyson, "Terminal lucidity in patients with chronic schizophrenia and dementia: a survey of the literature" (2009); Michael Nahm et al., "Terminal lucidity: a review and case collection" (2012); B. E. Turetskaia e A. A. Romanenko, "Agonal remission on the terminal stages of schizophrenia" (1975).

7. Emily Williams Cook, Bruce Greyson e Ian Stevenson, "Do any near-death experiences provide evidence for the survival of human personality after death? Relevant features and illustrative case reports" (1998). (Cook era o sobrenome de solteira da pesquisadora Emily Williams Kelly, que depois se casaria com o colega Edward F. Kelly.)

8. Bruce Greyson, "The near-death Experience Scale – Construction, reliability, and validity" (1983).

9. Fernanda Barcellos Serralta et al., "Equivalência semântica da versão em português da Escala de Experiência de Quase-Morte" (2010).

10. Van Lommel, *Mort ou pas?* O autor utilizou a escala de EQM elaborada por Kenneth Ring.

11. Parnia, *O que acontece quando morremos?*; Parnia et al., "AWARE – AWAreness during REsuscitation".

6. SENTIMENTOS, MENTE, CONSCIÊNCIA E LOCALIZAÇÃO CEREBRAL
1. António Damásio, *O erro de Descartes* (1996).
2. Helen S. Mayberg *et al*. "Deep brain stimulation for treatment-resistant depression". *Neuron*, v. 45, n. 5, 2005, p. 651-60.
3. Yves Agid *et al*. "Transient acute depression induced by high-frequency deep brain stimulation" (1999).
4. Edelman, *Biologia da consciência*.
5. Dennett, *La Conscience expliquée*.

7. FÍSICA QUÂNTICA, EQM E O LIVRO TIBETANO DOS MORTOS
1. Peter B. Medawar, *Os limites da ciência* (2008).
2. Evans-Wentz, *O livro tibetano dos mortos*.
3. Carl G. Jung, *Memórias, sonhos, reflexões* (1962).
4. Amit Goswami, *A física da alma* (2005).
5. Van Lommel, *Mort ou pas?*
6. Erwin Schrödinger, *O que é vida? O aspecto físico da célula viva – Seguido de "Mente e matéria" e "Fragmentos autobiográficos"* (1997).
7. John Eccles, *Cérebro e consciência: o self e o cérebro* (1994).
8. Henry Margenau, *The miracle of existence* (1984). Citado em Eccles, *Cérebro e consciência*.
9. Francis C. Crick e Christof Koch, "The problem of consciousness" (1992).
10. Dennett, *La Conscience expliquée*.
11. Edelman, *Biologia da consciência*.
12. Roger Penrose, *A mente nova do rei: computadores, mentes e as leis da física* (1993).
13. Schrödinger, *O que é vida?*
14. Fred Thaheld. "Biological non-locality and the mind-brain interaction problem: comments on a new empirical approach" (2003).
15. Jacobo Grinberg-Zylberbaum *et al*., "Human communication and the electrophysiological activity of the brain" (1993); Jacobo Grinberg-Zylberbaum, Manuel Deflafor e Amit Goswami, "The Einstein-Podolsky-Rosen paradox in the brain: the transferred potential" (1994).
16. Leanna J. Standish *et al*., "Electroencephalographic evidence of correlated event related signals between the brains of spatially and sensory isolated human subjects" (2004).
17. T. J. La Vaque, "The history of EEG – Hans Berger, psychophysiologist: a historical vignette" (1999).

18. Leonard Mlodinow, *Elástico: como o pensamento flexível pode mudar nossas vidas* (2018).
19. Rita Pizzi *et al.*, "Non-local correlations between separated neural networks" (2004).
20. Amit Goswami, *Consciência quântica: uma nova visão sobre o amor, a morte e o sentido da vida* (2018).
21. Nahm e Greyson, "Terminal lucidity in patients with chronic schizophrenia and dementia; Nahm *et al.*, "Terminal lucidity: a review and case collection".
22. "Julius Wagner von Jauregg: uma breve biografia" (s/d).
23. Goswami, *Consciência quântica*.

8. RELATOS DE EQM

1. George G. Ritchie, *Voltar do amanhã*. Ed. original: *Return from tomorrow* (1978). A EQM de Ritchie é descrita no capítulo 3 de seu livro. O início de nossas entrevistas, já dissemos, deve muito à leitura de sua obra.
2. O relato de Pamela Reynolds está em Sabom, *Souvenirs de la mort*. Pode também ser encontrado em Van Lommel, *Mort ou pas?* Em outro livro de Sabom [*Light and death: one doctor's fascinating account of near-death experiences* (1998)], há extensa análise estatística dos casos de EQM, levando em conta a questão da fé e da religiosidade.
3. Kimberly Clark, "Clinical interventions with near-death experiences" (1984).
4. Harvey J. Irwin, "Out-of-body experiences in the blind" (1987).
5. V. Krishnan, "OBEs in the congenitally blind" (1983).
6. Kenneth Ring e Sharon Cooper, *Mindsight: near-death and out-of-body experiences in the blind* (1999).
7. Keith Augustine ("Does paranormal perception occur in near-death experiences?", 2007) questiona os dados de Ring quando este descreve algumas EQMs em cegos, principalmente quando relata que, na EFC, eles interpretam de imediato o que veem. No entanto, embora Vicki tenha mesmo dito que reconheceu a sala cirúrgica, saiu pelo teto, viu ruas e edifícios, Ring deixa claro, nos detalhes do caso, que as primeiras visões foram aterradoras e que a entrevistada tinha dificuldade de entendê-las.
8. Oliver Sacks, *Um antropólogo em Marte* (1995).
9. Richard Langton Gregory e Jean G. Wallace, "Recovery from early blindness: a case study" (1963).
10. Jeffrey Long e Paul Perry, *Evidências da vida após a morte* (2010). Long e Perry, ambos empenhados em pesquisar EQMs, criaram a Near-Death Experience

Research Foundation [Fundação de Estudos de Quase Morte], a NDERF, e disponibilizam um site (www.nderf.org, acessível inclusive em português) para que as pessoas partilhem suas experiências e se compilem dados científicos sobre o fenômeno.

11. Eben Alexander III, *Uma prova do Céu: a jornada de um neurocirurgião à vida após a morte* (2013).
12. Juan C. Saavedra-Aguilar e Juan S. Gómez-Jeria, "A neurobiological model for near-death experiences" (1989).
13. Greyson, "Consistency of near-death experience accounts over two decades".
14. Fiódor Dostoiévski, *O idiota* (2002).
15. Greyson, "Incidence of near-death experiences following attempted suicide".
16. Kenneth Ring e Stephen Franklin, "Do suicide survivors report near-death experiences?" (1982).
17. Van Lommel, *Mort ou pas?*
18. Greyson, "Incidence of near-death experiences following attempted suicide".
19. Jean Renee Hausheer, "Getting comfortable with near-death experiences – My unimaginable journey: a physician's near-death experience" (2014).

9. EQM E A BUSCA DA IMORTALIDADE

1. "Emanuel Swedenborg", s/d.
2. Hermínio C. Miranda, "Swedenborg: uma análise crítica", s/d.
3. John Gray, *A busca pela imortalidade: a obsessão humana em ludibriar a morte* (2014).
4. Marcel Souto Maior, *Kardec: a biografia* (1996).
5. Grant Solomon e Jane Solomon, *O experimento Scole* (2002).

10. DARWIN NA SESSÃO ESPÍRITA

1. Gray, John Gray, *A busca pela imortalidade: a obsessão humana em ludibriar a morte* (2014).
2. Myers foi o sétimo presidente da SPR. O primeiro, vimos, tinha sido Henry Sidgwick, um dos mais renomados pensadores vitorianos. O também filósofo Arthur Balfour, vimos igualmente, foi o quarto. Entre outros nomes notáveis que ocuparam o cargo, estiveram o filósofo e psicólogo americano William James (1842-1910), o quinto presidente, que era irmão mais velho do romancista Henry James e exerceu enorme influência nos estudos neurofisiológicos, sobretudo graças a seu *Princípios de psicologia*, ainda hoje referência entre os neurocientistas; o médico e fisiologista francês Charles Richet, o décimo presidente,

que descobriu a soroterapia e a anafilaxia e ganhou o Nobel de Fisiologia-
-Medicina em 1913; e o diplomata e filósofo francês Henri Bergson (1859-1941),
o 16º presidente, Nobel de Literatura em 1927.
3. Elias Canetti, *Sobre a morte* (2009).

11. A BELEZA SALVARÁ O MUNDO
1. Tzvetan Todorov, *A beleza salvará o mundo* (2011).
2. "A Apollon Nikolaievitch Maïkov, 31 décembre 1867" (2000).
3. Théophile Alajouanine, *Littérature et épilepsie* (1972).

Referências

AGID, Yves *et al*. "Transient acute depression induced by high-frequency deep brain stimulation". *New England Journal of Medicine*, v. 340, 1999, p. 1476-80.

ALAJOUANINE, Théophile. *Littérature et épilepsie*. Paris: L'Herne, 1972.

ALEXANDER III, Eben. *Uma prova do Céu: a jornada de um neurocirurgião à vida após a morte*. Trad. Joel Macedo. Rio de Janeiro: Sextante, 2013.

AMÂNCIO, Edson. *O homem que fazia chover e outras histórias inventadas pela mente*. 2. reimp. São Paulo: Barcarolla, 2006.

_____. "Does paranormal perception occur in near-death experiences?" *Journal of Near-Death Studies*, v. 25, 2007, p. 203-36.

BLACKMORE, Susan J. *Experiências fora do corpo*. Trad. Aníbal Mari. São Paulo: Pensamento, 1993.

BLACKMORE, Susan J.; TROSCIANKO, Tom S. "The physiology of the tunnel". *Journal of Near-Death Studies*, v. 8, 1988, p. 15-28.

BLANKE, Olaf *et al*. "Stimulating illusory own-body perceptions: the part of the brain that can induce out-of-body experience has been located". *Nature*, v. 419, 2002, p. 269-70.

_____. "Illusions visuelles". In: SAFRAN, Avinoam B. *et al*. *Neuro-ophthalmologie*. Paris: Masson, 2004a, p. 147-50.

_____. "Out-of-body experience and autoscopy of neurological origin". *Brain*, v. 127, 2004b, p. 242-58.

BLANKE, Olaf; ARZY, Shahar. "The out-of-body experience: disturbed self--processing at the temporo-parietal junction". *Neuroscientist*, v. 11, 2004, p. 16-24.

CANETTI, Elias. *Sobre a morte*. Trad. Rita Rios. São Paulo: Estação Liberdade, 2009.

CHARLIER, Philippe. "Oldest medical description of a near-death experience (NDE), France, 18th century". *Resuscitation*, carta ao editor, maio 2014.

CHURCHLAND, Paul M. *Matéria e consciência: uma introdução contemporânea à filosofia da mente*. Trad. Maria Clara Cescato. São Paulo: Ed. Unesp, 1998.

CLARK, Kimberly. "Clinical interventions with near-death experiences". In: GREYSON, Bruce; FLYNN, Charles P. (orgs.). *The near-death experience: problems, prospects, perspectives*. Springfield: Charles C. Thomas, 1984, p. 242-55.

COOK, Emily Williams; GREYSON, Bruce; STEVENSON, Ian. "Do any near-death experiences provide evidence for the survival of human personality after death? Relevant features and illustrative case reports". *Journal of Scientific Exploration*, v. 12, 1998, p. 377-406.

CRICK, Francis. *The astonishing hypothesis: the scientific search for the soul*. Londres: Simon & Schuster, 1994.

CRICK, Francis; KOCH, Christof. "The problem of consciousness". *Scientific American*, v. 267, n. 3, 1992, p. 152-60.

_____. "What is the function of the claustrum?" *Philosophical Transactions of the Royal Society B: Biological Sciences*, 2005, p. 1271-79.

DAMÁSIO, António. *O erro de Descartes*. Trad. Dora Vicente & Georgina Segurado. São Paulo: Companhia das Letras, 1996.

_____. *O mistério da consciência*. Trad. Laura Teixeira Motta. São Paulo: Companhia das Letras, 2000.

_____. *Em busca de Espinosa*. Trad. Laura Teixeira Motta. São Paulo: Companhia das Letras, 2004.

_____. *E o cérebro criou o homem*. Trad. Laura Teixeira Motta. São Paulo: Companhia das Letras, 2011.

DAWKINS, Richard. *O gene egoísta*. Trad. Geraldo H. M. Florsheim. Belo Horizonte: Itatiaia, 2001.

DENNETT, Daniel C. *La Conscience expliquée*. Trad. Pascal Engel. Paris: Odile Jacob, 1993.

_____. *A perigosa ideia de Darwin: a evolução e os significados da vida*. Trad. Talita M. Rodrigues. Rio de Janeiro: Rocco, 1998.

_____. *Brainstorms: ensaios filosóficos sobre a mente e a psicologia*. Trad. Luiz Henrique de Araújo Dutra. São Paulo: Ed. Unesp, 2006.

DOSTOÏEVSKI, Fedor. *Correspondance*. 3 tomes. Trad. Anne Coldefy-Faucard. Paris: Bartillat, 2000.

DOSTOIÉVSKI, Fiódor. *O idiota*. Trad. Paulo Bezerra. São Paulo: 34, 2002.

DU MONCHAUX, Pierre-Antoine-Joseph. *Anecdotes de médecine ou choix de faits singuliers qui ont rapport à l'anatomie, la pharmacie, l'histoire naturelle, et auxquelles on a joint des anecdotes concernant les médecins les plus célèbres*. Lille: J. B. Henry, 1766, t. I, p. 43-5.

ECCLES, John. *Cérebro e Consciência – O self e o cérebro*. Trad. Ana André. Lisboa: Instituto Piaget, 1994.

_____. *A evolução do cérebro: a criação do eu*. Trad. Manuela Cardoso. Lisboa: Instituto Piaget, 1995.

EDELMAN, Gerald M. *Biologia da consciência: as raízes do pensamento*. Trad. Jorge Domingues Nogueira. Lisboa: Instituto Piaget, 1992.

"EMANUEL Swedenborg". Correio Espírita. s/d. Disponível em: <http://www.correioespirita.org.br/secoes-do-jornal/biografias/353-emanuel-swedenborg>. Acesso em: 13 mar. 2021.

EVANS-WENTZ, Walter Y. (org.). *O livro tibetano dos mortos*. Trad. Jesualdo Correia Gomes de Oliveira. São Paulo: Pensamento, 1986.

FENWICK, Peter. "Commentary on 'Near-death experience with hallucinatory features'". *Journal of Near-Death Studies*, v. 26, n. 1, 2007, p. 43-49.

FRANZEN, F.; GROSS, H. "Tryptamine, N,N-dimethyltryptamine, N,N-dimethyl--5-hydroxytryptamine and 5-methoxytryptamine in human blood and urine". *Nature*, v. 206, n. 988, 1965, p. 1052.

GAZZANIGA, Michael S.; IVRY, Richard B.; MANGUN, George R. *Neurociência cognitiva: a biologia da mente*. Trad. Angelica Rosat Consiglio. 2. ed. Porto Alegre: Artmed, 2006.

GOSWAMI, Amit. *A física da alma*. Trad. Marcello Borges. São Paulo: Aleph, 2005.

_____. *Consciência quântica: uma nova visão sobre o amor, a morte e o sentido da vida*. Trad. Marcello Borges. São Paulo: Aleph, 2018.

GOULD, Stephen Jay. *Darwin e os grandes enigmas da vida*. Trad. Maria Elizabeth Martinez. São Paulo: Martins Fontes, 1999.

GRAY, John. *A busca pela imortalidade: a obsessão humana em ludibriar a morte*. Trad. José Gradel. Rio de Janeiro: Record, 2014.

GREGORY, Richard Langton; WALLACE, Jean G. "Recovery from early blindness: a case study", 1963. Disponível em: <http://www.richardgregory.org/papers/recovery_blind/recovery-from-early-blindness.pdf>. Acesso em: 13 mar. 2021.

GREYSON, Bruce. "The near-death Experience Scale – Construction, reliability, and validity". *Journal of Nervous and Mental Disease*, v. 171, v. 6, 1983, p. 369-75.

_____. "Incidence of near-death experiences following attempted suicide: lack of influence of psychopathology, religion and expectations". *Suicide and Life-threatening Behavior*, v. 16, n. 1, 1986, p. 40-45.

_____. "Near-death encounters with and without near-death experiences: comparative NDE scale profiles". *Journal of Near-Death Studies*, v. 8, 1990, p. 151-61.

_____. "Near-death experiences and anti-suicidal attitudes". *Omega – Journal of Death and Dying*, v. 26, 1992-1993, p. 81-89.

_____. "The incidence of near-death experiences". *Medicine & Psychiatry*, v. 1, 1998, p. 92-99.

_____. "Consistency of near-death experience accounts over two decades: are reports embellished over time?" *Resuscitation*, 73, 2007a, p. 407-11.

_____. "Experiências de quase morte: implicações clínicas". *Revista de Psiquiatria Clínica*, v. 34, 2007b, p. 116-25.

_____. "Cosmological implications of near-death experiences". *Journal of Cosmology*, v. 14, 2011.

GREYSON, Bruce; HOLDEN, Janice Miner; VAN LOMMEL, Pim. "'There is nothing paranormal about near-death experiences' revisited: comment on Mobbs and Watt. Letter to the Editor". *Resuscitation*, v. 16, n. 9, 2012, p. 445.

GRINBERG-ZYLBERBAUM, Jacobo et al. "Human communication and the electrophysiological activity of the brain". *Subtle Energies & Energy Medicine*, v. 3, n. 3, 1993, p. 25-43.

GRINBERG-ZYLBERBAUM, Jacobo; DEFLAFOR, Manuel; GOSWAMI, Amit. "The Einstein-Podolsky-Rosen paradox in the brain: the transferred potential". *Physics Essays*, v. 7, n. 4, 1994, p. 422-28.

HAUSHEER, Jean Renee. "Out-of-body experiences in the blind". *Journal of Near-Death Studies*, v. 6, n. 1, 1987, p. 53-60.

_____. "Getting comfortable with near-death experiences – My unimaginable journey: a physician's near-death experience". *Missouri Medicine*, v. 111, n. 3, 2014, p. 180-83. Disponível em: <ncbi.nlm.nih.gov/pmc/articles/PMC6179563/>. Acesso em: 13 mar. 2021.

JANSEN, Karl. "Neuroscience, ketamine and the near-death experience: the role of glutamate and the NMDA-receptors". In: BAILEY, Lee W.; YATES, Jenny (orgs.). *The near-death experience: a reader*. Nova York/Londres: Routledge, 1996, p. 265-82.

JOSEPH, Rhawn. "Frontal lobe psychopathology: mania, depression, aphasia, confabulation, catatonia, perseveration, obsessive compulsions, schizophrenia". *Psychiatry*, v. 62, 1999a, p. 138-72.

_____. "The neurology of traumatic 'dissociative' amnesia: commentary and literature review". *Child Abuse & Neglect*, v. 23, 1999b, p. 715-27.

Josephson, Brian. "Incendiary subject". *Nature*, v. 294, 1981, p. 594.
"Julius Wagner von Jauregg: uma breve biografia". Cérebro & Mente. s/d. Disponível em: <https://cerebromente.org.br/n04/historia/jauregg.htm>. Acesso em: 13 mar. 2021.
Jung, Carl G. *Memórias, sonhos, reflexões*. Trad. Dora Ferreira da Silva. Rio de Janeiro: Nova Fronteira, 1962.
Kandel, Eric. *Em busca da memória*. Trad. Rejane Rubino. São Paulo: Companhia das Letras, 2006.
Kelly, Edward F. "A view from the mainstream: contemporary cognitive neuroscience and the consciousness debates". In: Kelly, Edward F. *et al*. *Irreducible mind: toward a psychology for the 21st century*. Lanham: Rowman & Littlefield, 2006, p. 1-46.
Kelly, Emily Williams; Greyson, Bruce; Stevenson, Ian. "Can experiences near death furnish evidence of life after death?" *Omega – Journal of Death and Dying*, v. 40, n. 4, 1999-2000, p. 513-19.
Klemenc-Ketis, Zalika; Kersnik, Janko; Gremc, Stefek. "The effect of carbon dioxide on near-death experiences in out-of-hospital arrest survivors: a prospective observational study". *Critical Care*, v. 14, 2010, R56.
Koestler, Arthur. *O fantasma da máquina*. Trad. Christiano Monteiro Oiticica e Hesiodo de Queiroz Facó. Rio de Janeiro: Zahar, 1969.
Krishnan, V. "OBEs in the congenitally blind". *Vital Signs*, v. 3, n. 3, 1983, p. 13.
Kübler-Ross, Elisabeth. *A morte: um amanhecer*. Trad. Maria de Lourdes Lanzellotti. São Paulo: Pensamento, 1991a.
_____. *Sobre a morte e o morrer*. Trad. Paulo Menezes. São Paulo: Martins Fontes, 1991b.
La Vaque, T. J. "The history of EEG: Hans Berger, psychophysiologist: a historical vignette". *Journal of Neurotherapy*, v. 3, 1999, p. 1-9.
Landau, Lucian. "An unusual out-of-the-body experience". *Journal of the Society for Psychical Research*, v. 42, 1963, p. 126-28.
Lempert, T.; Bauer, M.; Schmidt, D. "Syncope and near-death experience". *Lancet*, v. 344, 1994, p. 829-30.
Long, Jeffrey; Perry, Paul. *Evidências da vida após a morte*. Trad. Tina Jeronymo. São Paulo: Larousse, 2010.
Margenau, Henry. *The miracle of existence*. Woodbridge: Ox Bow, 1984.
Mayberg, Helen S. *et al*. "Deep brain stimulation for treatment-resistant depression". *Neuron*, v. 45, n. 5, 2005, p. 651-60.

McGinn, Colin. *The problem of consciousness: essays toward a resolution*. Oxford: Blackwell, 1991.

Medawar, Peter B. *Os limites da ciência*. Trad. Antonio Carlos Bandouk. São Paulo: Ed. Unesp, 2008.

Meduna, Ladislas T. *Carbon dioxide therapy: a neuropsychological treatment of nervous disorders*. Springfield: Charles C. Thomas, 1950.

Miranda, Hermínio C. "Swedenborg: uma análise crítica". s/d. Disponível em: <http://bvespirita.com/Swedenborg,%20Uma%20Analise%20Critica%20(Herminio%20C.%20Miranda).pdf>. Acesso em: 13 mar. 2021.

Mlodinow, Leonard. *Elástico: como o pensamento flexível pode mudar nossas vidas*. Trad. Claudio Carina. Rio de Janeiro: Zahar, 2018.

Mobbs, Dean; Watt, Caroline. "There is nothing paranormal about near-death experiences: how neuroscience can explain seeing bright lights, meeting the dead, or being convinced you are one of them". *Trends in Cognitive Sciences*, v. 15, n. 10, 2011, p. 447-49.

Moody Jr., Raymond. *Life after life – The investigation of a phenomenon: survival of bodily death*. Atlanta: Mockingbird, 1975.

_____. *A vida depois da vida*. Trad. Melissa Krassner. São Paulo: Butterfly, 2004.

Nagel, Thomas. "What is it like to be a bat?" *Philosophical Review*, v. 83, 1974, p. 435-51.

Nahm, Michael; Greyson, Bruce. "Terminal lucidity in patients with chronic schizophrenia and dementia: a survey of the literature". *Journal of Nervous and Mental Disease*, v. 197, 2009, p. 942-44.

Nahm, Michael *et al*. "Terminal lucidity: a review and case collection". *Archives of Gerontology and Geriatrics*, v. 55, 2012, p. 138-42.

Osis, Karlis; Haraldsson, Erlendur. *At the hour of our death*. Nova York: Hastings House, 1977.

_____. *At the hour of our death*. 3. ed. Nova York: Hastings House, 1997.

Parnia, Sam. *O que acontece quando morremos?* Trad. Emanuel Mendes Rodrigues. São Paulo: Larousse, 2008.

Parnia, Sam *et al*. "AWARE – AWAreness during REsuscitation: a prospective study". *Resuscitation*, v. 85, 2014, p. 1799-1805.

Penfield, Wilder; Jasper, Herbert. *Epilepsy and the functional anatomy of the brain*. Boston: Little, Brown, 1954.

Penfield, Wilder; Rasmussen, Theodore. *The cerebral cortex of man: a clinical study of localization of function*. Nova York: MacMillan, 1950.

Penrose, Roger. *A mente nova do rei: computadores, mentes e as leis da física*. Trad. Waltensir Dutra. Rio de Janeiro: Campus, 1993.

Pinker, Steven. *Como a mente funciona*. Trad. Laura Teixeira Motta. 2. ed. São Paulo: Companhia das Letras, 2002.

Pizzi, Rita *et al*. "Non-local correlations between separated neural networks". *Proceedings of SPIE – The International Society for Optical Engineering*, v. 5436, 2004. Disponível em: <https://homes.di.unimi.it/pizzi/pubbl/2004%20SPIE.pdf>. Acesso em: 13 mar. 2021.

Ramachandran, V. S. *O que o cérebro tem para contar*. Trad. Maria Luiza X. de A. Borges. Rio de Janeiro: Jorge Zahar, 2014.

Ring, Kenneth. *Life at death*. Nova York: William Morrow, 1982a.

_____. *Sur la frontière de la vie*. Trad. Muriel Lesterlin. Paris: Robert Laffont, 1982b.

_____. *Rumo ao ponto ômega: em busca do significado da experiência de quase morte*. Trad. Pedro Ribeiro. Rio de Janeiro: Rocco, 1996.

Ring, Kenneth; Cooper, Sharon. *Mindsight: near-death and out-of-body experiences in the blind*. Palo Alto: William James Center for Consciousness Studies, 1999.

Ring, Kenneth; Franklin, Stephen. "Do suicide survivors report near-death experiences?" *Omega – Journal of Death and Dying*, v. 12, 1982, p. 191-208.

Ritchie, George G. *Voltar do amanhã*. Trad. Gilberto Campista Guarino. Rio de Janeiro: Nórdica, 1984.

Ryle, Gilbert. *The concept of mind*. Londres: Penguin, 1949.

Saavedra-Aguilar, Juan C.; Gómez-Jeria, Juan S. "A neurobiological model for near-death experiences". *Journal of Near-Death Studies*, v. 7, n. 4, 1989, p. 205-22.

Sabom, Michael B. *Recollections of death*. Nova York: Harper & Row, 1982.

_____. *Souvenirs de la mort*. Trad. Colette Vlérick. Paris: Robert Laffont, 1983.

_____. *Light and death: one doctor's fascinating account of near-death experiences*. Grand Rapids: Zondervan, 1998.

Sacks, Oliver. *Um antropólogo em Marte*. Trad. Bernardo Carvalho. São Paulo: Companhia das Letras, 1995.

_____. *A mente assombrada*. Trad. Laura Teixeira Motta. São Paulo: Companhia das Letras, 2013.

Schrödinger, Erwin. *O que é vida? O aspecto físico da célula viva – Seguido de "Mente e matéria" e "Fragmentos autobiográficos"*. Trad. Jesus de Paula Assis e Vera Y. K. de Paula Assis. São Paulo: Ed. Unesp, 1997.

Scoville, William B.; Milner, Brenda. "Loss of recent memory after bilateral hippocampal lesions". *Journal of Neurology, Neurosurgery and Psychiatry*, v. 20, 1957, p. 11-21.

Searle, John R. *A redescoberta da mente*. Trad. Eduardo Pereira e Ferreira. São Paulo: Martins Fontes, 1997.

Serralta, Fernanda Barcellos *et al*. "Equivalência semântica da versão em português da Escala de Experiência de Quase-Morte". *Psico-USF*, v. 15, n. 1, 2010, p. 35-46.

Sheldrake, Rupert. *Uma nova ciência da vida*. Trad. Marcello Borges. São Paulo: Cultrix, 2013.

Solomon, Grant; Solomon, Jane. *O experimento Scole*. Trad. Henrique Amat Rêgo Monteiro. São Paulo: Madras, 2002.

Souto Maior, Marcel. *Kardec: a biografia*. Rio de Janeiro: Record, 1996.

Standish, Leanna J. *et al*. "Electroencephalographic evidence of correlated event-related signals between the brains of spatially and sensory isolated human subjects". *Journal of Alternative and Complementary Medicine*, v. 10, n. 2, 2004, p. 103-12.

Strassman, Rick. *DMT: the spirit molecule: a doctor's revolutionary research into the biology of near-death and mystical experiences*. Rochester: Park Street, 2001.

_____. *DMT: molécule de l'esprit*. Trad. Bernard Dubant. Paris: Exergue, 2005.

Thaheld, Fred. "Biological non-locality and the mind-brain interaction problem: comments on a new empirical approach". *BioSystems*, v. 70, n. 1, 2003, p. 35-41.

Todorov, Tzvetan. *A beleza salvará o mundo*. Trad. Caio Meira. Rio de Janeiro: Bertrand Brasil, 2011.

Tumarkin, Nina. "Religion, Bolshevism, and the origins of the Lenin cult". *Russian Review*, v. 40, n. 1, 1981, p. 35-46.

Turetskaia, B. E.; Romanenko, A. A. "Agonal remission on the terminal stages of schizophrenia". *Korsakoff's Journal of Neuropathology and Psychiatry*, v. 75, 1975, p. 559-62.

Van Lommel, Pim. "Near-death experience in survivors of cardiac arrest: a prospective study in the Netherlands". *Lancet*, v. 358, 2001, p. 2039-45.

_____. *Mort ou pas? Les dernières découvertes médicales sur les EMI*. Trad. Claude Farny. Paris: InterEditions, 2012.

Whinnery, J. E.; Whinnery, A. M. "Acceleration-induced loss of consciousness: a review of 500 episodes". *Archives of Neurology*, v. 47, 1990, p. 764-76.

Internet

Canal *Afinal, o que somos nós?*, YouTube.

Near-Death Experience Research Foundation (NDERF): www.nderf.org.

Agradecimentos

PARA A REALIZAÇÃO deste livro, recebi a ajuda generosa de muitas pessoas:

Meus colegas psiquiatras Fellipe Leal e Rachel Giacoia, que participaram das inúmeras discussões para iniciar os trabalhos sobre EQM e leram o texto definitivo, encorajando-me com estímulos extremamente positivos.

Mateus Silvestrin, psicólogo que contribuiu com as discussões e elaborou o questionário que nos possibilitou, por meio de chamado na internet, alcançar um número relativamente grande de pessoas que apresentaram EQM.

Meu amigo Carlos Mendes, físico de formação, que esteve presente em todas as fases deste trabalho, participando de todas as entrevistas e disponibilizando-as no canal *Afinal, o que somos nós?*, do YouTube; e pelos continuados estímulos para que a feitura do livro seguisse adiante; e pelas sugestões dadas quando precisei abordar aspectos da física quântica que poderiam ajudar a compreender os fenômenos de EQM.

Ao prof. Jaime Olavo Marquez, colega e amigo de longa data, a quem sou enormemente grato pela leitura minuciosa e pelas inúmeras sugestões, que foram rigorosamente incorporadas no texto e o engrandeceram.

Ao dr. Edson de Souza Marquez, meu colega de turma e renomado neurologista, que leu com entusiasmo os originais, emitindo sugestões que enriqueceram meu trabalho.

Ao meu antigo editor, Jorge Felix, cujas sugestões foram minuciosamente seguidas e contribuíram para a organização e clareza no trato com os aspectos mais complexos.

À amiga Ivani Cardoso, que, também com entusiasmo, contribuiu com valiosas sugestões.

A Thereza de Jesus Cavalcanti Vasques, amiga querida, que teve a infinita paciência de ler junto comigo cada capítulo, propondo alterações e acrescentando esclarecimentos, sem os quais este trabalho não estaria completo.

Ao meu querido amigo Ulisses Capozzoli, que conheceu este projeto no seu nascedouro e foi um grande entusiasta desta pesquisa.

Ao meu antigo chefe e coordenador da residência de Neurocirurgia na Unicamp, dr. Nubor Orlando Facure, que leu os originais com entusiasmo e contribuiu com valiosas sugestões.

Minha editora, Soraia Bini Cury, que não mediu esforços para contemplar-me com inúmeras sugestões para a melhora do manuscrito, também merece o meu mais sincero agradecimento.

Por fim, quero agradecer à minha esposa, Mara Fernanda Chiari Pires, não só pela paciência e tolerância pelo tempo em que estive ausente da nossa convivência para completar este livro, mas também pelo fato de ter sido minha primeira leitora e ter dado inúmeras sugestões que me permitiram chegar a um bom termo.

www.gruposummus.com.br